A CORUJA ERA FILHA DO PADEIRO

BIBLIOTECA JUNGUIANA
DE PSICOLOGIA FEMININA

Marion Woodman

A CORUJA ERA FILHA DO PADEIRO

Um Estudo Revelador sobre Anorexia Nervosa,
Obesidade e o Feminino Reprimido

Tradução
Adail Ubirajara Sobral

Editora
Cultrix
SÃO PAULO

Título do original: *The Owl Was a Baker's Daughter – Obesity, Anorexia Nervosa and The Repressed Feminine.*

Copyright © 1980 Marion Woodman.

Copyright da edição brasileira © 1992, 2020 Editora Pensamento-Cultrix Ltda.

5ª edição 2020.

Todos os direitos reservados. Nenhuma parte desta obra pode ser reproduzida ou usada de qualquer forma ou por qualquer meio, eletrônico ou mecânico, inclusive fotocópias, gravações ou sistema de armazenamento em banco de dados, sem permissão por escrito, exceto nos casos de trechos curtos citados em resenhas críticas ou artigos de revistas.

A Editora Cultrix não se responsabiliza por eventuais mudanças ocorridas nos endereços convencionais ou eletrônicos citados neste livro.

Editor: Adilson Silva Ramachandra
Gerente editorial: Roseli de S. Ferraz
Gerente de produção editorial: Indiara Faria Kayo
Editoração eletrônica: Join Bureau
Revisão: Vivian Miwa Matsushita
Capa: Lucas Campos / Indie 6 Design Editorial

Dados Internacionais de Catalogação na Publicação (CIP)
(Câmara Brasileira do Livro, SP, Brasil)

Woodman, Marion
    A coruja era filha do padeiro: um estudo revelador sobre a anorexia nervosa, obesidade e o feminino reprimido / Marion Woodman ; tradução Adail Ubirajara Sobral. – 5. ed. – São Paulo: Editora Pensamento Cultrix, 2020.

    Título original: The owl was a baker's daughter: obesity, anorexia nervosa and the repressed feminine
    Bibliografia.
    ISBN 978-65-5736-010-1

    1. Anorexia nervosa 2. Jung, Carl Gustav, 1875-1961 3. Mulheres – Psicologia 4. Mulheres – Saúde mental 5. Obesidade – Aspectos psicológicos 6. Obesidade nas mulheres – Aspectos psicológicos I. Título. II. Série.

20-37180   CDD-150.1954

Índices para catálogo sistemático:
1. Mulheres: Anorexia nervosa: obesidade: Psicologia junguiana 150.1954
Cibele Maria Dias – Bibliotecária – CRB-8/9427

Direitos de tradução para a língua portuguesa adquiridos com exclusividade pela EDITORA PENSAMENTO-CULTRIX LTDA., que se reserva a propriedade literária desta tradução.
Rua Dr. Mário Vicente, 368 – 04270-000 – São Paulo, SP
Fone: (11) 2066-9000
http://www.editoracultrix.com.br
E-mail: atendimento@editoracultrix.com.br
Foi feito o depósito legal.

Sumário

Introdução 7

Capítulo I – Fundamentos Experimentais 15
   Obesidade Primária e Secundária 16
   O Experimento de Associação de C. G. Jung 20
   O Experimento de Associação e a Obesidade 22
   Complexos e Características de Personalidade 31
   Conclusões 66

Capítulo II – O Corpo e a Psique 75
   O Metabolismo do Corpo 77
   Algumas Concepções Contemporâneas da Obesidade ... 80
   Como o Estresse Influencia a Obesidade 84
   Efeitos Patológicos do Medo e da Raiva 93
   Abordagens Clínicas da Obesidade 101
   O Conceito Junguiano de Psique e Corpo 103

Capítulo III – Três Casos de Estudo 119
    Margaret 120
    Anne 132
    Katherine 142

Capítulo IV – A Perda do Feminino 157
    O Complexo Paterno 159
    O Complexo Materno 166
    Os Complexos Alimentar, Sexual e Religioso 170

Capítulo V – A Redescoberta do Feminino 179
    O Culto nos Mistérios de Dioniso 181
    A Dança 192
    O Cristianismo e o Feminino 198

Notas 215

Glossário de Termos Junguianos 227

Bibliografia 233

Introdução

Stone walls do not a prison make,
Nor iron bars a cage.
— Lovelace, To Althea, from Prison

[Muros de pedra não fazem uma prisão,
Nem barras de ferro uma cela.]

A corpulência já teve conotações de felicidade. As pessoas "riam e engordavam"; os poucos mais afortunados "viviam na abundância" e os inúmeros menos afortunados invejavam os "gatos gordos". Em culturas menos opulentas do que a nossa, a noiva roliça ainda vale seu peso em ouro. Na China e no Japão, quem tem o ventre proeminente é respeitado e admirado como pessoa intrinsecamente bem fundada. Na sociedade ocidental, contudo, as conotações são opostas. Quem tem 100 quilos "parece uma baleia em festa de lambaris" e as gordas têm vergonha de andar por aí "com sua neurose balançando". É verdade que algumas mulheres se orgulham de sua gordura e não têm problemas com seu volume. Este livro não trata delas; é um estudo das agonias da obesidade e de suas causas psíquicas e somáticas.

Nenhuma fórmula mágica ou científica fez até agora uma incursão no problema cada vez mais acentuado da obesidade. Fiz das minhas descobertas experimentais a mais cuidadosa documentação possível, citando na íntegra os diálogos, na esperança de tornar consciente o mundo interior da obesa. Cada uma dessas mulheres é uma pessoa, mas também é uma obesa. A consciência nem sempre resolve o problema, mas pode tornar o sofrimento significativo.

Muitos dos comentários feitos pelas obesas durante o Experimento de Associação (detalhado no capítulo I) poderiam ter vindo de mulheres de peso normal. As mulheres que pensam, na cultura ocidental do século XX, têm muito em comum. A neurose, contudo, manifesta-se de maneira demasiado palpável na obesa. Este estudo enfoca a combinação particular de fatores que produz esse sintoma específico que atinge 40% das mulheres americanas.

Ao pensar sobre a personagem que melhor personifica essa combinação especial, lembrei-me repetidas vezes de uma frase de *Hamlet*: "Como alguém inconsciente da própria desgraça", ["As one incapable of her own distress"]. Veio-me então a imagem de Ofélia cantando para as flores, flutuando corrente abaixo, sustentada pelas roupas espalhadas, mantida acima das águas que a estavam destruindo. Vi nessa "bela dama", sepultada em suas vestes de cortesã, uma princesa adormecida num corpo obeso.

Ofélia não tinha mãe, tendo crescido numa corte que impunha um certo código de comportamento. Apaixonou-se por um príncipe destinado a ser rei. Enquanto a realidade não lhes ameaçou o pequeno paraíso, Ofélia e Hamlet puderam amar-se. Mas quando "coisas grosseiras, e brutais" ["things rank and gross"] de súbito destroem o seu jardim e lorde Hamlet põe-se a perscrutar o rosto da amada, encontra nele uma criança desprovida de recursos interiores para ser fiel a si mesma e, menos ainda, a ele. Quando a noite seguiu ao dia, ela só pôde fazer aquilo que o seu pai exigira – representar um papel como sua marionete –, traindo inconscientemente a mulher que ela jamais encontrara em si mesma e agindo com falsidade diante do homem a quem acreditava amar. Ela não dispunha de realidade interior para responder à necessidade masculina de Hamlet. Quando o coração da mulher bate pelo pai, "não há nem pode haver benefício" ["it is not, nor it cannot come to good"].

Com o pai morto e sem o amado, Ofélia enlouquece. Na sua insanidade, diz mais verdades do que é conscientemente capaz de dizer. Sozinha entre as pessoas da corte, com as vestes sujas e os cabelos desarrumados – um passarinho assustado –, seus olhos estão vazios de tudo, exceto do demônio que a domina. Ela exclama, patética:

> [...] *They say the owl was a baker's daughter. Lord, we know what we are, but know not what we may be.*
> *God be at your table!*[1]

> [(...) Dizem que a coruja era filha do padeiro. Senhor, sabemos o que somos, mas não sabemos o que podemos ser. Deus abençoe a vossa mesa!]

Trata-se de uma referência a uma antiga lenda inglesa:

> Nosso Salvador entrou numa padaria onde o pão estava sendo feito e pediu que lhe dessem. A mulher do padeiro pôs de imediato um pedaço de massa no forno para assar e lhe dar. Mas sua filha a reprochou; insistindo que o bocado de massa era grande demais, deixou-lhe apenas um pedacinho. A massa, contudo, passou no mesmo momento a crescer, alcançando um tamanho descomunal. Diante disso, a filha do padeiro exclamou: "Hu, hu, hu", som semelhante ao da coruja, o que provavelmente induziu nosso Salvador a transformá-la, por sua maldade, nessa ave.[2]

Por ironia, Ofélia dá uma descrição de si mesma. Prisioneira das suas necessidades infantis, ela não consegue reconhecer o estrangeiro/estranho. Não consegue passar da infância para a idade adulta; por essa razão, é incapaz de responder a Hamlet com o sentimento maduro que o poria em contato com o seu próprio lado feminino e o salvaria de sua fatal autoalienação.

Noutra versão da lenda, é véspera de Natal. A filha do padeiro está de tal modo ocupada com a preparação do pão de Natal e com a arrumação da casa que fica irritada com o seu tolo pai, que perde tempo dando comida a um vagabundo na porta dos fundos. Dominada pelos seus afazeres e pelas fantasias relativas ao grande dia, ela não vê a realidade que está diante dos próprios olhos. O pão que ela nega a Deus alcança "um tamanho gigantesco"; o mistério que ela rejeita na porta dos fundos materializa-se como um monstro na da frente. Incapaz de emitir um grito humano, ela deixa escapar por três vezes um som semelhante ao pio da coruja, sentindo-se transformada num pássaro noturno. Na Grécia, a coruja era a ave de Atena, símbolo de sua afinidade com as trevas. Atena também só teve pai, tendo brotado de sua cabeça depois de ele ter engolido a mãe grávida.

Ofélia é uma pequena coruja cambaleante, assaltada pelo próprio feminino inconsciente, por seu pai e pelo que "dizem".[3] Ela jamais encontra sua própria voz. Nunca encontra o próprio corpo nem os próprios sentimentos, razão pela qual perde a vida e o amor no aqui e no agora. Aos poucos, as águas do inconsciente, seu "elemento próprio", a engolem. Descrevendo a sua morte, Shakespeare diz (por meio da rainha Gertrudes):

> *There is a willow grows aslant a brook,*
> *That shows his hoar leaves in the glassy stream.*
>
> ....
>
> *There on the pendent boughs coronet weeds*
> *Clamb'ring to hang, an envious sliver broke,*
> *When down her weedy trophies and herself*
> *Fell in the weeping brook. Her clothes spread wide*
> *And, mermaid-like, awhile they bore her up;*
> *Which time she chaunted snatches of old tunes,*
> *As one incapable of her own distress,*
> *Or like a creature native and indued*
> *Unto that element; but long it could not be*
> *Till that her garments, heavy with their drink,*
> *Pull'd the poor wretch from her melodious lay*
> *To muddy death.*[4]

[Há um salgueiro inclinado às margens de um arroio,
Que reflete as folhas esbranquiçadas na torrente cristalina.
(...)
Quando subia nas ramagens pendentes
para colher suas coroas silvestres, um ramo traiçoeiro se
    desprendeu,
Caindo ela com seus agrestes troféus
No arroio rumorejante. Suas roupas se espalharam
E, como se ela fosse uma sereia, por algum tempo a sustentaram;
Enquanto isso, ela entoava estrofes de antigas canções,
Como alguém inconsciente da própria desgraça,
Ou como criatura que estivesse
Em seu elemento próprio; mas aquilo não podia durar
    muito tempo
E seus vestidos, encharcados, ficaram mais pesados,
Arrastando a pobre infeliz, dos seus cantos melodiosos,
Para uma morte no meio do lodo.]

    Toda mulher acossada pela obesidade conhece a agonia causada pelo fato de se olhar no espelho e ver uma coruja refletida. Se se atrever a sustentar o olhar, pode até ver sua cauda de sereia. A cisão entre a cabeça e o corpo está destruindo a sua vida e ela nada pode fazer para quebrar o encanto. Neste livro, quarenta mulheres e eu olhamos a coruja nos olhos com a maior honestidade possível. Seja qual for o brilho obtido ali, apresento-o nas páginas seguintes.
    Sugiro, em termos essenciais, que as mulheres do século XX têm vivido há séculos numa cultura de orientação masculina que

as manteve inconscientes do seu próprio princípio feminino. Ora, em suas tentativas de encontrarem seu próprio lugar num mundo masculino, elas têm aceito, inadvertidamente, valores masculinos – vidas orientadas para alvos, impulsos compulsivos e um alimento concreto que não consegue nutrir-lhes o mistério feminino. Sua feminilidade inconsciente se rebela, assumindo alguma manifestação somática. Neste estudo, a Grande Deusa ora se materializa na obesa, ora devora a anoréxica. Sua vítima, ao lidar com o sintoma, pode ter de se defrontar com a própria feminilidade. Somente ao descobrir e amar a deusa perdida em seu próprio corpo rejeitado, pode a mulher ouvir sua própria voz autêntica. Este livro sugere maneiras práticas de ouvi-la, explorando o significado do feminino enquanto este "se arrasta até Belém para nascer" ["Slouches towards Bethlehem to be born"].[5]

Capítulo I

Fundamentos Experimentais

> No ponto em que começa o reino dos complexos, termina a liberdade do ego, pois os complexos são agentes psíquicos cuja natureza mais profunda permanece insondável.
> – C. G. Jung, *A Review of the Complex Theory*

As modernas pesquisas no campo da obesidade têm comprovado que o aumento de peso não é uma simples questão de comer em demasia. Dois indivíduos podem ingerir exatamente o mesmo número de calorias e levar uma vida igualmente ativa, sendo um deles gordo, e o outro, magro. O gordo na verdade pode estar comendo menos e exercitando-se mais do que o outro. A diferença essencial está na capacidade individual de metabolizar as calorias ingeridas. Pode haver, por trás de quaisquer distúrbios metabólicos, tanto causas de ordem fisiológica como causas de natureza psicológica.

OBESIDADE PRIMÁRIA E SECUNDÁRIA

Desde o início, é preciso fazer uma importante diferenciação. Algumas pessoas parecem "programadas" para serem gordas; outras ficam gordas por diversas razões. A obesidade endógena ou primária se desenvolve a partir do interior; a obesidade exógena ou secundária requer um excesso de alimentação. As calorias excedentes são armazenadas nas células adiposas na forma de triglicerídeos. Em termos anatômicos, os triglicerídeos podem ser armazenados em células adiposas preexistentes, provocando o aumento do tamanho dessas células ou, por meio da formação de novos adipócitos, o aumento do seu número. Nos primeiros anos de vida, a multiplicação celular é o fator causal predominante do crescimento do tecido adiposo; mais tarde, contudo, o número de células torna-se fixo e, a partir de então, o tecido adiposo se expande ou encolhe quase exclusivamente por meio de mudanças no tamanho das células gordurosas. Ao que parece, a idade em que o número final de células é alcançado, ponto a partir do qual se estabiliza, é aos 20 anos ou pouco antes disso. Na obesidade, há uma desorganização do processo ordenado de crescimento do tecido adiposo, tanto em termos da dimensão celular como em termos do número de células.[6]

A hipercelularidade (número excessivo de células) começa bem cedo, podendo ser geneticamente influenciada. Segundo o *Textbook of Medicine*, de Besson e McDermott:

> A localização de depósitos exagerados de gordura, tais como o maciço tecido adiposo existente nas nádegas de certos

bosquímanos, a chamada "anca hotentote", é um exemplo de adiposidade localizada geneticamente determinada. Esse exemplo extremo sugere que o número de células adiposas pode ser determinado em parte por razões genéticas e que o número e a localização dessas células ou dos seus precursores determinarão em parte a magnitude, bem como a localização da obesidade.[7]

A influência genética ainda é discutível. Contudo, parece haver períodos da primeira metade da vida em que é mais provável o desenvolvimento da hipercelularidade: pouco depois do nascimento, nos primeiros anos de vida e, mais tarde, perto da puberdade. As pessoas que sofreram de obesidade infantil têm maior aumento no número de células e menos anomalias em termos de dimensão celular, ao passo que aquelas que ganham peso na puberdade exibem menores graus de hipercelularidade e células adiposas de maior dimensão. Um segundo padrão de obesidade é caracterizado pela presença de células adiposas aumentadas, mas em número normal. Esse padrão começa na vida adulta e costuma ter uma gravidade de suave a moderada.

Descobriu-se que somente por meio da mudança da dimensão celular é possível obter a redução de peso em qualquer paciente obeso, pouco importando a idade em que a obesidade começou ou o seu grau ou duração. O número de células mantém-se constante mesmo quando há uma pronunciada perda de peso. Os indivíduos obesos desde a infância podem ter três vezes mais células adiposas do que os de peso normal. Isso explica por que as pessoas que sempre foram gordas podem perder peso, mas, de maneira quase inevitável, recuperá-lo. As células adiposas permanentes ficam esperando a própria recuperação tão logo diminua a força de vontade do paciente.

Além disso, há especulações de que a hipercelularidade envia ao hipotálamo mensagens para que este estimule o aumento da ingestão de comida.[8] De acordo com essa teoria, os centros de alimentação controlam a quantidade total de gordura existente no corpo, sendo regulados, por sua vez, por ela. Logo, a hipercelularidade passaria a ser a fonte de um estímulo permanente à ingestão excessiva de alimento. Por alguma razão ainda não determinada, o *"appestat"* (ponto de equilíbrio) da pessoa obesa parece ser alto e fixo, alto e em elevação ou estranhamente variável. Contudo, parece lógico que, quando se encontra numa situação de conflito psicológico intenso, a mulher obesa tem o seu equilíbrio homeostático perturbado; embora possa ser artificialmente ajustado por meio de uma dieta e de um rígido autocontrole, esse equilíbrio não pode ser mantido de maneira permanente. De fato, há recentes evidências a sugerir que o corpo na verdade defende a massa de tecido adiposo.

> É possível que o hipotálamo defenda diferentes diretrizes dependendo das pessoas, mantendo o ponto de equilíbrio com que o indivíduo é favorecido ou desfavorecido... Isso sugere que, para algumas pessoas, a obesidade é uma composição corporal "normal" ou "ideal".[9]

Esses fatos são fundamentais em toda situação terapêutica que envolva a obesidade. Quando a hipercelularidade é parte da estrutura física de uma mulher, esta deve simplesmente aceitar o seu porte como algo "inevitável". Essa nova atitude pode corrigir por si mesma as constantes oscilações de peso. A obesidade secundária, por outro lado, pode ser corrigida por meio da dieta quando os fatores psíquicos tornam esta última desejável. Vale a pena lembrar dois fatos adicionais. Em primeiro lugar, a atividade metabólica do tecido adiposo durante a fase de ganho ativo de peso difere de modo significativo da que se observa quando se alcançou um estado consistente de obesidade, razão por que importantes mudanças concomitantes de disposição podem ocorrer.[10] Em segundo lugar, diferentes tipos de alimentos podem ser metabolizados, na pessoa gorda, de uma maneira distinta da que se verifica na magra, não havendo dieta aplicável a todos. Cada psique individual tem sua própria realidade peculiar. Como comenta C. G. Jung:

> Apesar dos avanços da química orgânica, ainda estamos muito longe de poder explicar a consciência como processo bioquímico. Pelo contrário, temos de admitir que as leis químicas sequer explicam o processo seletivo de assimilação do alimento, para não mencionar a autorregulação e a autopreservação do organismo. Seja qual for, a realidade da psique parece coincidir com a realidade da vida e, ao mesmo tempo, parece ter um vínculo com as leis formais que governam o mundo inorgânico.[11]

A inter-relação entre psique e soma que essa afirmação implica é desenvolvida com mais detalhes no Capítulo II.

O EXPERIMENTO DE ASSOCIAÇÃO DE C. G. JUNG

No início de sua carreira, Jung desenvolveu um método empírico de identificação daquilo que mais tarde denominou *complexos de tom emocional*. No princípio, ele obteve apenas uma série de respostas espontâneas a um certo número de palavras-estímulo selecionadas, e tentou estabelecer a velocidade média e a qualidade das respostas. Todavia, descobriu que a maneira pela qual o método era *perturbado* pelo comportamento autônomo da psique tinha mais importância do que o tempo de reação. Percebeu não ser possível investigar processos psíquicos isolados e, deste modo, descobriu os complexos de tom emocional – que antes sempre tinham sido registrados como incapacidade de reagir. Ele definiu o complexo da seguinte maneira:

> É a *imagem* de uma determinada situação psíquica que é fortemente acentuada em termos emocionais e é, além disso, incompatível com a atitude habitual da consciência. Essa imagem tem uma poderosa coerência interior, sua própria totalidade e, em acréscimo, um grau relativamente alto de autonomia, razão por que só está sujeita ao controle da mente consciente de maneira limitada, agindo, por conseguinte, como um corpo estranho animado na esfera da consciência. O complexo em geral pode ser suprimido por um esforço de vontade, mas não pode ser levado a desaparecer, ressurgindo com toda a sua força original na primeira oportunidade adequada.[12]

Jung assinalou ainda que uma situação exterior pode desencadear um processo psicológico no qual certos conteúdos se agregam e se preparam para agir. Dá-se a isso o nome de "constelação"; trata-se de um processo automático que o indivíduo não pode controlar. "Os conteúdos constelados são complexos definidos, dotados de energia específica própria."[13] Na situação experimental, os complexos provocam reações perturbadas, sendo mais frequente o retardamento do tempo de reação. Um complexo ativo surge momentaneamente, movido por um impulso de pensamento e de ação compulsivos. Jung considerava "moderadamente certo" serem os complexos "fragmentos de psique" que aparecem em forma personalizada nos nossos sonhos quando não há uma consciência inibidora para suprimi-los. Sua origem com frequência é um trauma ou choque emocional que dissocia uma parcela da psique. Uma das suas causas mais comuns é um conflito moral em que o indivíduo não pôde afirmar a totalidade da sua natureza. "Essa impossibilidade pressupõe uma dissociação direta, conhecida ou não pela mente consciente."[14]

Quanto maior a inconsciência do indivíduo, tanto maior a autonomia do complexo, que pode chegar ao ponto de assimilar o ego, o que resulta numa alteração momentânea da personalidade conhecida como "identificação com o complexo". Na Idade Média, dava-se a isso o nome de possessão ou enfeitiçamento. "A *via regia* para o inconsciente, contudo" – disse Jung –, "não é o sonho, como [Freud] pensava, mas o complexo, que é o arquiteto dos sonhos e dos sintomas."[15]

Na forma pela qual o Experimento de Associação é realizado hoje, dá-se ao voluntário um estímulo simples ao qual se pede que ele ou ela reajam com uma única palavra. Usa-se uma relação preparada de 100 palavras; cada resposta tem medido com precisão o seu tempo por meio de um cronômetro e os distúrbios emocionais são registrados. Tendo completado a relação, o voluntário é solicitado a repetir a resposta original dada a cada palavra. O aplicador analisa de imediato as reações retardadas, os lapsos de memória, a confirmação, as respostas emocionais etc., pedindo ao voluntário que faça associações adicionais com as palavras que evocaram reações perturbadas. Uma análise cuidadosa das áreas de perturbação e dos comentários a elas associados permite uma avaliação quantitativa e qualitativa dos complexos dotada de razoável precisão.

O EXPERIMENTO DE ASSOCIAÇÃO E A OBESIDADE

No esforço de compreender a dinâmica psíquica que se acha por trás da obesidade, apliquei o Experimento de Associação de Jung a vinte mulheres obesas. (Preferi trabalhar apenas com mulheres porque, tendo feito o experimento com três homens obesos, percebi que os problemas deles eram diferentes, merecendo um estudo à parte.) Os experimentos foram aplicados individualmente na forma descrita, tendo cada um durado entre duas e quatro horas. Certas áreas de medo e de resistência se evidenciaram de imediato nas vinte aplicações do experimento. Algumas palavras causaram invariavelmente hesitação e desconforto emocional. Apresento a seguir alguns exemplos, ao lado de várias respostas típicas:

tentar:	mais, fracassar, outra vez
fome:	dor, vazio, anseio, inchação, pobre, medo
ameixa:	gordura, redondo, roliço, pudim
bater:	lutar, matar, assassinar, golpear
esperar:	pesado, ganhar, gordo, controle, balão, eu
mal:	espírito, Satanás, morte, escuridão, mulher, eu
escolha:	nenhuma, branco, onde?
nadar:	água, afogar-se, medo, frio, afundar, peixe

Em vários casos, essas palavras ou as imediatamente seguintes não foram lembradas na parte de memória do teste. O sentido de fracasso é evidente na resposta resignada a *tentar* e a *escolha*; o complexo alimentar aparece na resposta a *fome*, *ameixa* e *esperar*; a agressão se oculta na resposta a *bater* [*beat*]; ninguém a entendeu como *beterraba* [*beet*]; o temor do inconsciente pode estar por trás das respostas a *mal* e a *nadar*. Essas conclusões baseiam-se nos lapsos de memória, nas respostas retardadas, nas reações emocionais e em outros fatores não necessariamente evidentes nas próprias palavras.

Os grupos de palavras problemáticas foram considerados, cada qual, uma unidade, por exemplo, *irado, desprezar, vil, bater, mal, insultar*. Quando havia alguma espécie de resposta perturbada, eu pedia à mulher que fizesse associações livres com a palavra envolvida. Isso em geral era feito com considerável afeto. À medida que ela falava, eu anotava palavra por palavra seus comentários. Alguns exemplos são apresentados adiante, neste capítulo.

Tendo completado os vinte experimentos, fiz uma avaliação dos dados, em busca de um padrão de resposta, concentrando-me em temas recorrentes, para assim determinar as áreas de ação dos complexos (Tabelas 1 e 2, coluna 1, páginas 27-29). Suas observações foram classificadas quer em termos de suas afirmações diretas ou das implicações destas. (Minha escolha de categorias quando da interpretação dos comentários é, naturalmente, um tanto subjetiva.)

Para descobrir possíveis diferenças significativas entre a dinâmica psíquica de mulheres obesas e de mulheres de peso normal, fiz outra série de experimentos com vinte controles. Eu as realizei de modo exatamente igual, introduzindo uma única diferença: na conclusão de cada experimento, eu dizia ao sujeito qual o tema da pesquisa e lhe fazia algumas perguntas elaboradas a partir dos dados das voluntárias obesas. Sem essas perguntas, não teria havido base para um contraste nas categorias de alimento, porque a comida jamais foi mencionada pelos controles como fator determinante. É significativo o fato de as perguntas serem com frequência incongruentes aos seus olhos. De maneira invariável, quando apareciam nas perguntas os extremos da desordem alimentar, os controles tinham de parar a fim de considerarem o possível significado do que era perguntado.

As perguntas dirigidas aos controles foram:

1. Você era gorda quando criança? Na puberdade? Algum dos seus pais o era?
2. Você já comeu ou recusou-se a comer para obter atenção?
3. Você come quando está deprimida? Quando está ansiosa?
4. Você come quando não pode exprimir sua raiva?

5. Você já comeu para substituir a relação sexual?
6. Você teria alguma satisfação em roubar comida?
7. Você já pensou em recompensar o seu corpo dando-lhe comida?
8. Você ficaria tão irada com o seu corpo a ponto de puni-lo comendo em excesso coisas que ele não pudesse digerir?
9. Você pensaria em jejuar para recompensar o seu corpo?
10. Você pensaria em jejuar para castigar o seu corpo?
11. Você já teve raiva de si mesma por causa do seu corpo?
12. Você já teve raiva do Destino por causa do seu corpo?
13. Quantas calorias você pode consumir por dia sem ganhar peso?
14. Você acha que o seu corpo usa adequadamente a comida que você ingere?
15. Você sofre de algum problema físico crônico associado com a comida ou com a sexualidade?

Os dados coletados com os experimentos e com as respostas dos vinte controles encontram-se compilados nas Tabelas 1 e 2, coluna 2, páginas 27-29. Outros fatos relevantes referentes aos dois grupos estão documentados na Tabela 3, página 65.

Ao compilar os dados para as Tabelas 1 e 2, ou seja, ao avaliar a intensidade das respostas, tive de fazer um juízo subjetivo a partir das afirmações ou reações emocionais. Por exemplo, a "hipersensibilidade" (Tabela 1, linha 34) é uma coisa relativa; mas quando uma vida é controlada pelo medo da reação dos outros e da própria reação física ao sofrimento emocional, hipersensibilidade parecia ser a palavra certa. De igual maneira, "perfeccionista" (Tabela 1, linha 31) refere-se, neste estudo, à pessoa que chegaria a se exaurir no esforço de atender aos próprios padrões e necessidades interiores. Isso é complicado pelo fato de muitas dessas mulheres serem notáveis, criativa e artisticamente. Nessa área, é demasiado difícil distinguir entre o impulso de poder e a necessidade interior de perfeição criativa. (O papel da mulher criativa numa cultura patriarcal é um dos temas secundários deste livro.) Todas as participantes eram inteligentes; "acima da média de inteligência" (Tabela 1, linha 33) significa, nesse grupo, terem elas sido alunas brilhantes em seu tempo de escola, tanto em termos de notas como de conhecimento.

Sinto que os problemas de peso estão vinculados com a tipologia psicológica. Certos intuitivos parecem mais propensos a desordens alimentares e os tipos perceptivos menos, mas essa questão merece um estudo específico.[16]

Para esclarecer os dados coligidos, os comentários feitos pelas mulheres obesas durante os experimentos são citados adiante na íntegra. Quando havia repetição constante de temas, escolhi as afirmações que resumissem a atitude de modo mais sucinto. (Relacionei-as ao acaso para proteger o anonimato das participantes.)

Deve haver, com efeito, uma sobreposição entre os complexos e certas tendências veladas que sempre estão presentes. Por exemplo, a influência do "*animus* negativo" (uma forma de enfeitiçamento) contamina toda a personalidade. Ouvimos repetidas vezes, nos comentários, uma voz que afasta a mulher dos seus reais sentimentos, pondo-lhe na boca opiniões gastas, minando-lhe a energia em sua tentativa de agradar às outras pessoas ou aos pais introjetados. Desde a infância, a rigidez da mãe, ao lado dos padrões perfeccionistas do pai, fazem a criança engolir o medo e o ressentimento, a conter as emoções com comida. A ansiedade resultante leva com frequência a um padrão precoce de alimentação excessiva associado com uma dependência exagerada do autocontrole. Esse padrão pode enraizar-se de maneira tão profunda que se torna uma séria dificuldade quando é necessário o ajustamento a relações pessoais ulteriores.

Tabela 1. Complexos e características de personalidade de obesas e controles.

Linha	Complexos e Características de Personalidade	Coluna 1 Obesas (em 20)	Coluna 2 Controles (em 20)
1	Mãe Negativa	16	5
2	Mãe Positiva	4	15
3	Identificação com a Mãe	6	12
4	Mãe Dominava o Lar com o *Animus*	18	11
5	*Animus* Negativo	20	8
6	Pai Positivo	12	12
7	Pai Negativo	8	8
8	Pai Idealizado	8	2
9	*Anima* do Pai	15	8
10	Amor ao Conhecimento	17	13
11	Agressão	20	9
12	Morte	11	2
13	Aprisionada	20	13
14	Religião	11	10
15	Sexualidade	17	9
16	Comida	20	0
17	Falta de Contato Corporal	12	7

Linha	Complexos e Características de Personalidade	Coluna 1 Obesas (em 20)	Coluna 2 Controles (em 20)
18	Perda da Imagem do Corpo	17	5
19	Perda da Identidade Feminina	17	8
20	Medo Básico da Vida	19	5
21	Medo da Rejeição	19	10
22	Amor pela Natureza	19	18
23	Fantasia Preferida à Realidade	18	7
24	Anseio pelo Paraíso da Infância	15	4
25	Medo da Responsabilidade	4	4
26	Iniciou o Papel de Mãe quando Criança	12	4
27	Mártir	17	4
28	Rebelde	17	12
29	Traquinas	9	9
30	Filho ou Garota Indesejado(a)	3	4
31	Perfeccionista	17	8
32	Criatividade Notável	17	8
33	Acima da Média de Inteligência	16	11
34	Hipersensibilidade	19	14

Tabela 2. Histórico, padrões alimentares etc. de obesas e de controles.

Linha	Histórico, Padrões Alimentares etc.	Coluna 1 Obesas (em 20)	Coluna 2 Controles (em 20)
1	Gorda quando Criança	10	0
2	Gorda na Puberdade	17	2
3	Mãe Gorda	12	1
4	Pai Gordo	2	2
5	Discórdia Parental (medo em casa)	16	8
6	Falta de Dinheiro em Casa (medo da fome)	10	4
7	Medo de Dar – Avareza	9	4

Linha	Histórico, Padrões Alimentares etc.	Coluna 1 Obesas (em 20)	Coluna 2 Controles (em 20)
8	Solidão (afastado do grupo de amiguinhos – dos garotos)	15	9
9	Solidão (afastada do grupo de amiguinhas – das garotas)	14	7
10	Comer para Controlar-se	18	0
11	Comer quando Deprimida	20	2
12	Comer quando com Raiva Reprimida	20	0
13	Comer quando Ansiosa	20	0
14	Comer para ter Satisfação Ilícita	8	0
15	Comer em Substituição ao Sexo	19	1
16	A Comida como Recompensa ao Corpo	10	19
17	A Comida como Punição	13	0
18	Deixar de Comer como Recompensa ao Corpo	19	1
19	Deixar de Comer como Punição ao Corpo	1	0
20	Raiva de Si Mesma	18	1
21	Raiva do Destino	16	1
22	Culpa por Fracasso com o Corpo	18	0
23	Excesso de Peso como Proteção contra os Homens	7	0
24	Excesso de Peso como Proteção contra o Instinto	3	0
25	Ganha Peso Ingerindo 1000 calorias por dia	13	0
26	Diagnóstico de Edema	3	0
27	O Corpo não Usa de Modo Apropriado a Comida	10	0
28	Problemas Menstruais	4	1
29	Operações em Órgãos Femininos	6	1
30	Constipação Crônica	11	4
31	Roupas	0	3
32	Álcool	0	2
33	Fumo	0	3
34	Exercícios e Jardinagem	0	12

Na análise, por exemplo, caso a transferência seja positiva, a mulher pode ter confiança para suavizar o seu rígido regime alimentar. Ela pode permitir-se o gosto pela comida e, o que é mais importante, pode se deixar ter uma resposta espontânea no relacionamento com os outros. Se, contudo, a transferência for ou se tornar negativa, é provável que ela fique tomada de uma ansiedade esmagadora que a force a voltar ao controle anterior e, com isso, aos excessos alimentares compulsivos. Na medida em que siga conscientemente uma dieta estrita, é provável que ela esteja tendo com o analista e com todos os que a cercam uma relação no mesmo nível superficial. Então, não há possibilidade de os níveis instintivos mais profundos que possam estar envolvidos na transferência constelarem, nem, por conseguinte, esperança de cura.

A voz do *animus* negativo tonitrua: "Não o farás, não o farás, não o farás." Aprisionada na negatividade, a criança cedo começa a viver em termos de mecanismos de defesa e desenvolve uma carapaça protetora que pode parecer um ego forte. Trata-se, contudo, de um padrão reativo que deixa a pessoa real inconsciente na sua prisão, sem perceber suas próprias necessidades. Assim, a garota gorda parece mais velha do que é na infância e mais jovem do que é na idade adulta. Seus sentimentos de segunda mão não têm raízes fincadas na sua própria realidade e, portanto, sua criança interior desconhecida mantém-se encerrada em seu corpo adulto. Enquanto a sua criança morre de fome, ela alimenta o seu *animus* – a fúria, a avareza, a feiura e os ciúmes dele –, sendo obrigada a funcionar sem a ponte positiva com seu próprio inconsciente.

COMPLEXOS E CARACTERÍSTICAS DE PERSONALIDADE

1. Comida

Um exame cuidadoso dos dados revela de imediato o poder tirânico do complexo alimentar (Tabela 1, linha 6). A comida torna-se o foco da *depressão* (Tabela 2, linha 11), da *raiva reprimida* (Tabela 2, linha 12), da *ansiedade* (Tabela 2, linha 13) e da *sexualidade reprimida* (Tabela 2, linha 15). A comida passa a ser um meio de tentar controlar o próprio destino, de exprimir desafio ao controle dos outros (Tabela 2, linha 10), desafio à lei e aos costumes sociais (Tabela 1, linha 28; Tabela 2, linha 14) e até desafio à natureza ou a Deus (Tabela 2, linha 21).

Oito das mulheres obesas admitiram a rejeição à comida em refeições desagradáveis com a família e a preferência por "lanches apressados" na frente da geladeira; várias gostavam de roubar guloseimas em supermercados. "Meu docinho, doçura, uva"* são formas carinhosas de tratamento; do berço ao túmulo, buscamos a pessoa a quem amamos em busca de "alimento". A necessidade de amor é, assim, facilmente confundida com a necessidade de comida. Como o amor é parte importante da vida, provar comida é provar a vida, mas, por outro lado, evitar a comida pode ser evitar a vida. O sistema de punição e recompensa no tocante à alimentação do corpo obeso torna-se uma

---

* Adaptados para manter o sentido original em inglês (*honey, sweetheart, sugar*) sem perda do sentido em português. (N.T.)

questão moral. Quando se sentem rejeitadas por outras pessoas, as mulheres obesas tendem a compensar a perda com comida (Tabela 2, linha 6); quando iradas consigo mesmas, punem o corpo com comida (Tabela 2, linha 17); quando felizes, recompensam o corpo com a abstenção (Tabela 2, linha 18). Apenas uma mulher obesa sugeriu que a autoimposição da fome era punição ao corpo (Tabela 2, linha 19). Em resumo, a comida torna-se o bode expiatório de todas as emoções, formando o núcleo em torno do qual gira a personalidade.

O poder obsessivo do complexo deve ser levado em consideração para se compreender a intensidade das emoções que estão por trás dos outros complexos. As mulheres obesas tendem a fugir do tema da comida ou a subestimar suas emoções a esse respeito. Somente quando exprimem seu sentimento esmagador de futilidade e descrevem suas tendências suicidas é revelado o pleno impacto da sua impotência diante da obsessão. O medo e a raiva resultantes permeiam todos os outros complexos.

COMENTÁRIOS SOBRE COMIDA
(TABELA 1, LINHA 16)

Sinto-me nobre quando faço dieta. Acho bom negar-me a mim mesma.

Estou cansada de pensar em comida. Deve haver uma maneira melhor de viver. Há 25 anos estou nessa roda-viva, como um pássaro na gaiola. Não é humano.

Se estou feliz ou apaixonada, perco peso.

Para lidar com os problemas, esqueço das minhas 900 calorias. Quando surge um problema, fico obstinada.

Sempre perco peso quando represento ou escrevo.

Sempre me sinto bem quando estou criando. Jamais me sinto fraca por falta de comida.

Trabalho por extremos – controle absoluto ou ausência de controle. Isso é conhecido como a síndrome do iô-iô.

Acho correto o conceito de analgésico. A comida é algo que combate a dor. Quando a vida fica insuportável, a comida é o melhor meio de esquecer. É boa também para fugir. Quando não consigo me pôr a fazer alguma coisa, vou mastigando enquanto decido.

Gosto de agradar os outros. Comer sempre faz parte de uma visita. Alguém me dá o seu amor na comida.

Quando bebo demais, sinto-me moralmente vulgar.

Havia na nossa casa uma atmosfera bem pesada. O controle era rígido. A comida era um alívio. Era alegria. Era suborno e hospitalidade. Minha resposta aos meus próprios filhos passou a ser a comida. Se estavam fumando maconha, eu lhes perguntava se não gostariam de comer alguma coisa.

Às vezes, quando observo as pessoas comerem e não estou comendo, sinto-me moralmente livre. Não tenho que comer. Elas têm. Outras vezes, sinto-me moralmente inferior por ser tiranizada pelo peso. Elas não têm de se preocupar com uma coisa tão boba. São livres. Mas eu não sou.

Jamais fui magra, mesmo durante o racionamento na guerra. Não consigo perder peso ingerindo 400 calorias por dia. O médico chegou à conclusão de que minha experiência da guerra permitiu ao meu corpo sobreviver com qualquer coisa que lhe deem. Gosto de preparar comida, mas não de ser tentada a comer. É como ter um orgasmo e se desligar de propósito na hora, cortando-o. Mal posso esperar a velhice para ficar realmente gorda. O peso em mim tem alguma relação com a hipertensão. Engordo quando estou tensa, não importa o que eu coma.

2. A Mãe

Jung, comentando o progressivo medo que acomete a pessoa que foge da realidade, escreve o seguinte:

> O medo da vida não é apenas um demônio imaginário, mas um pânico deveras real, que só parece desproporcionado porque sua verdadeira fonte é inconsciente e, portanto, projetada: a parte jovem e em crescimento da personalidade, quando impedida de viver ou colocada numa situação insustentável, gera medo e se transforma em medo. O medo parece vir da mãe, mas é na verdade o medo mortal do homem interior, inconsciente e instintivo, que fica apartado da vida devido à constante fuga da realidade. Se for sentida como um obstáculo real, a mãe passa a ser uma perseguidora vingativa. Naturalmente, não se trata da mãe verdadeira, se bem que também ela possa ferir seriamente o filho com a ternura mórbida com que

o persegue até a idade adulta, prolongando assim, além da época apropriada, a atitude infantil daquele. É antes a imago da mãe, que se transformou numa bruxa. Essa imago da mãe, contudo, representa o inconsciente, sendo a necessidade de o inconsciente unir-se com o consciente tão vital quanto a deste último em não perder contato com aquele.[17]

As mulheres deste experimento não foram perseguidas até a vida adulta pela "ternura mórbida" da mãe; foram, em vez disso, acossadas pela dependência pegajosa de um pai adorável ou pelo seu próprio desejo de ter um pai-marido desses. Todavia, "a parte jovem e em crescimento da personalidade" foi, na maioria dos casos, rigidamente disciplinada pelo *animus* da mãe e pelo "medo mortal" da mulher interior "instintiva e inconsciente" da mãe.

Os pecados da mãe são tratados geração após geração e a progressiva perda do feminino na nossa cultura pode ser uma das causas principais do crescente número de jovens mulheres que rejeitam o próprio corpo e se ocultam no seu *escudo* autocriado de Atena. Algumas são sensíveis o bastante para reconhecerem a paródia do feminino que se espera que emulem, e simplesmente se recusam a fazer esse *rite de passage*. Sejam quais forem as razões, a libido feminina é bloqueada e a deusa feminina ultrajada, enviando seu ultimato ao ego por meio do corpo inchado. Somente por meio do estabelecimento da comunicação com a força inconsciente pode o corpo, em última análise, encontrar a cura, e o espírito feminino, a libertação.

COMENTÁRIOS SOBRE A MÃE
(TABELA 1, LINHAS 1-4)

Mamãe sempre disse: "Não é o que você está pensando". Reagi de modo excessivo à sua rígida educação.

Minha mãe tirou o orgulho masculino do meu pai. Ela reforçou o seu sentimento de fracasso. Ela fez de tudo para nos mostrar como ela ficou ruim. Ela dizia "Você não se importa com a sua mãe".

Eu sentia ser um transtorno para ela. Todo o dinheiro que gastei com ela nos últimos anos visou aliviar o sentimento de culpa.

Ela era religiosamente organizada – afetada –, usava luvas brancas – apartada da vida. Meus sentimentos com relação à minha mãe eram muito confusos. Ela vivia através das minhas distinções acadêmicas. Sua atitude era: "Qualquer cadela pode ter filhos".

Quando o meu irmão nasceu, os sentimentos da minha mãe se transformaram em ódio de mim. Eu adoto a atitude da minha mãe – sua superioridade terrível. Eu me odeio por isso. Meu pai era um garotinho do campo.

Nossa casa, parece-me, é uma força natural contra os ritmos da vida – porquinhos-da-índia gordos, gatos gordos, pássaros gordos, garotos gordos, mãe gorda.

Não há na minha mente associações com a palavra "amor". Ninguém, nenhum objeto que eu possa associar com a palavra. Jamais fui amada – jamais. Jamais fui abraçada pelos meus pais. Minha mãe tentou me abortar antes de eu nascer. Aqui estou eu – um enorme balão.

Eu gostaria de fazer alguma coisa, mas tenho medo. No íntimo, sou uma garotinha. Aos 42 anos, ainda preciso da aprovação materna para tudo o que faço.

Mamãe jamais me carregou quando eu era criança. Ela odiava fraldas, bem como o fato de eu vomitar nela tudo o que ela me desse para comer. Desde o início, senti-me rejeitada por causa das minhas funções orgânicas. Eu sabia desde o começo que não era amada devido às minhas excreções. Hoje, sempre estou constipada.

Mamãe jamais deixou que eu fizesse alguma coisa. Eu sequer podia andar de bicicleta. Não formei um conceito de qualquer coisa criativa. Ela sempre exibia os seios. Ela ainda o faz. O pai dela queria um filho homem. Ele tentou transformá-la num. Ela é totalmente negativa. Sem amigos, sem interesses. Fico apavorada com a ideia de ser igual a ela e sei que sou.

Em tudo o que se referia a sexo, mamãe era um demônio. Acho que ela era possessa. Creio que passou por tamanha rejeição nas mãos da mãe dela, puritana, que jamais se recuperou.

Mamãe pôs na cabeça que eu ficaria gorda. (Ela fora gorda na juventude.) Ficou obsedada com isso; aos 11 anos, eu era gorda. Mamãe rezava para que ocorresse um milagre – para que, aos 15 anos, eu ficasse magra. Eu me tornei uma grande cozinheira de bolos de chocolate. Acredito ser este o grande papel da mulher – a nutridora. Gosto de pessoas na cozinha. Gosto de crianças. Gostaria de me casar e de ter muitos filhos, em vez de todos esses malditos livros.

COMENTÁRIOS SOBRE O MEDO BÁSICO DA VIDA
(TABELA 1, LINHA 20)

As sagas maternas dos nossos nascimentos, em suas minúcias, nada fizeram para me encorajar a ter filhos. Uma vez eu os desejei, mas temi que fossem ficar tão desiludidos com a vida quanto eu. Fiquei aterrorizada por eles.

Não quero ter filhos. Se eu fizer da minha vida uma obra de arte, tudo bem. Terei salvo alguma coisa do lixo.

Não tenho filhos. Deixei passar em branco as mais importantes áreas da vida.

Quando tenho medo, fico com o corpo frio. Passo assim a maior parte do tempo.

Eu morria de medo em casa e na escola. Sempre morta de medo. Agora posso controlar o meu medo.

Nunca vivi. Se eu ao menos pudesse morrer e tentar outra vez! Agora estou cansada de tentar. Lamento a minha vida não vivida.

Ainda estou perturbada por jamais ter desejado aquilo que outras mulheres têm por certo — um lar, filhos, marido.

Tudo o que fiz na vida foi me embaraçar e cair.

Tenho medo de contar com qualquer coisa que me dê alegria. Ela sempre explode no meu rosto. Minha filosofia é: Não espere nada e você poucas vezes ficará desapontada.

Sempre me senti incapaz de lidar com situações desconhecidas.

É sempre a mesma coisa. Não consigo encontrar sentido na vida. Olho por trás das minhas barras e fico imaginando por que as pessoas parecem tão felizes.

COMENTÁRIOS SOBRE O MEDO DA REJEIÇÃO (TABELA 1, LINHA 21)

Sou egoísta, mas detesto que me achem egoísta. Eu lanço uma cortina de fumaça de polidez para que gostem de mim. Se dissesse às pessoas o que penso, eu as destruiria.

Sinto-me uma pessoa que não pode ser amada por causa do corpo. Estou cheia de autorrejeição e sinto-me indigna de ser amada.

Não consigo me olhar no espelho. Sinto que todos me detestam. Eu me detesto. Não tenho respeito por mim mesma.

Diante de adultos, fico trêmula. Tenho medo. Fico com os jovens.

Sempre temo os homens. Sinto rejeição tanto por parte dos homens como das mulheres.

Não sei o que desejo ser a fim de tornar-me aceitável para mim mesma.

Eu me vejo como uma covarde chorosa – tenho medo de falar com as pessoas, medo das situações. "Você vai ser sempre uma pateta", digo a mim mesma. "Sempre uma maria-mole. Ninguém vai gostar de você. Uma gorda e feia pateta."

3. Perda da Imagem do Corpo, Sexualidade e Perda da Identidade Feminina

A maneira pela qual percebemos o nosso corpo é "um conceito configurador construído a partir de todas as nossas experiências sensórias e psíquicas, sendo constantemente integrada com o sistema nervoso central".[18] Na mulher obesa, a imagem do corpo é distorcida. Os comentários seguintes sugerem que a imagem do corpo de alguma maneira precede e determina a estrutura do corpo. A mulher obesa tem de enfrentar a seguinte questão: de que modo a esfera psíquica está refletida no seu corpo? A criança absorve as atitudes que as outras pessoas têm com relação ao seu corpo. Se essas atitudes não corresponderem à imagem socialmente aceitável, a criança fica submetida a uma enorme pressão. A dimensão do seu corpo pode resultar de distúrbios, não apenas em termos da percepção da fome, como também em termos de outras sensações corporais. Ela deve tentar compreender como sua relação com o próprio corpo reflete as atitudes de pessoas significativas da sua experiência e, o que é ainda mais vital, sua atitude com relação à sua própria vida. Por meio de sonhos e da imaginação ativa, ela pode aceitar a propriedade do próprio corpo e, portanto, sua própria realidade.

COMENTÁRIOS SOBRE A PERDA DA IMAGEM DO CORPO (TABELA 1, LINHA 18)

Tenho uma boa relação com o meu corpo, mas não me agrada estar atada a um animal agonizante.

Sei que pareço uma pirâmide de cabeça para baixo, mas nada posso fazer.

Não tenho ideia de onde começo e de onde termino. Fico tocando o meu corpo para tentar perceber onde se encontram os meus limites.

O corpo não é nada. Sei que, se eu morrer amanhã, meu espírito continuará a existir.

Estou numa prisão vazia.

Posso ter sido acarinhada pelos meus pais, mas com certeza não houve uma expressão aberta disso. Na noite passada, dancei pela primeira vez. Eu não estava combatendo este maldito corpo. Eu era a dança.

Às vezes, penso que não consigo arrastar esta carga pela vida nem um minuto mais. O simples viver me parece um fardo terrível.

Gosto de comprar roupas, mas nunca gosto de vê-las no meu corpo.

O peso é uma proteção. Os homens não olham para mim. Eu me escondo por trás do peso.

Quando me olho no espelho, vejo-me com a aparência que quero ter.

Tenho repulsa pelo meu corpo. Amaldiçoo a minha gordura. Eu me amaldiçoo porque sou um fracasso. A culpa é toda minha.

Detesto ser gorda, mas não tenho fibra moral para mudar. Aos 51 anos, não consigo acreditar que possa voltar a fazer dieta.

É verdade que às vezes sinto autopiedade. Tenho de viver neste corpo. As outras pessoas deveriam ser capazes de aceitá-lo por algumas horas. Acho que elas me acham obscena.

Como meu corpo jamais foi normal, tive de desenvolver uma empatia psicológica com os outros; essa é a única forma de relacionamento que tenho.

Tenho um terrível medo de me desintegrar. Às vezes, sinto que me faria em pedaços se não tivesse a cinta para me manter inteira. É uma gaiola – física e psiquicamente –, mas não posso funcionar sem ela.

No meu interior, por baixo das minhas camadas de gordura, vive uma mulher bela, esguia e desejável à espera da hora de nascer.

Gosto de falar com as pessoas ao telefone ou no escuro. Posso então relaxar e ser eu mesma. Sei que elas não se afastarão por causa da minha feiura.

Não é tão ruim ser gorda. As pessoas não podem me arrastar. Sinto-me real quando gorda. Não me sinto real quando magra.

Sinto-me como um ser humano numa carapaça de gordura. Sinto-me como uma formiga num ambiente de vidro.

Quando estou gorda, não tenho muita amizade com o meu corpo. Quando estou magra, isso não acontece. Quando posso falar com ele, fico noventa por cento fora da depressão.

Fico apreensiva em perder peso. Estou muito acostumada a ser gorda. Perder peso não vai tornar a vida muito maravilhosa.

Para mim, meu carro importa mais do que o meu corpo, é mais parte de mim. Quando penso em mim, penso em minha mente. Quando bateram no meu carro, sofri um choque emocional. Chorei. Não consegui suportar o sofrimento.

COMENTÁRIOS SOBRE A SEXUALIDADE E A PERDA DA IDENTIDADE FEMININA (TABELA 1, LINHAS 15 E 19)

Não sei muita coisa sobre a minha sexualidade. Isso requer um verdadeiro esforço e tenho medo de ser rejeitada.

Meu porte me protege e me impede de amar os homens. Sinto-me desprezível.

Eu sabia que jamais ficaria grávida.

Estou de luto desde que o homem que eu amava morreu. Na época, meu verdadeiro problema de peso ficou impossível. Eu simplesmente não tenho motivação. No meu íntimo, não posso enfrentar outro fracasso e por isso não tento.

Meu corpo nunca ficou entre mim e os homens que eu desejei. Se os homens não gostam do meu corpo, o problema é deles.

Nunca uso anticoncepcionais e nunca usei. Sei que jamais vou conceber. Não penso em mim como mulher. Sou apenas eu, seja lá o que isso for.

Todas as coisas que ficam abaixo da cintura me deixam horrorizada. Só há sujeiras.

Minha mãe apenas me dava livros para ler e me dizia que o sexo era uma coisa terrivelmente complicada. Quando comecei a ter casos, ela fingia que detestava os meus namorados, mas nas conversas com outras mulheres só falava deles. Eu concretizava os desejos dela.

Fiquei horrorizada ao engravidar, já que isso seria uma admissão de que eu e meu marido mantínhamos relações sexuais. Mas senti que devia ter um filho, porque, dando um neto aos meus pais, poderia justificar minha existência. Eles jamais aceitaram o fato de eu ser mulher.

Minha mãe sempre tentou me proteger do perigo representado pelos homens. Ela nunca me vestiu de cor-de-rosa, nem me pôs fitas. Uso calças de estilo militar... O sexo no nosso casamento é uma coisa animalesca. Sinto-me como uma escarradeira...

Papai tinha um porte imponente. Ele jamais tentou afirmar-se diante dos outros. Era um Rochedo de Gibraltar. Era grande e generoso em todos os sentidos. Inconscientemente, aceito o fato de ser gorda. Sou como ele e fico feliz por isso.

Eu sabia que nenhum homem iria me amar. Detesto ser mulher, odeio ficar em segundo plano. "Mulher" é uma palavra degradante; refere-se a impudicas deusas gregas e sereias, e serve para designar bruxas.

4. O Pai

Doze mulheres de cada grupo tinham boas relações com o pai (pai "positivo", Tabela 1, linha 6). Oito em cada grupo tinham más relações com o pai (pai "negativo", Tabela 1, linha 7). No entanto, oito das mulheres obesas tinham idealizado o pai negativo, expressão pela qual pretendo dizer que o pai delas era ausente por razões como negócios, alcoolismo, divórcio ou falecimento, tendo sua imaginação concentrado a atenção no amor perfeito, a fim de substituí-lo. Apenas dois dos controles tinham feito isso.

Há uma importante diferença entre a personalidade do pai e a dinâmica entre pai, mãe e filha. Entre os controles, o pai positivo tendia a ser uma figura dotada de autoridade, o homem que ia para o mundo e ajudava a menina a se relacionar com a realidade lá fora. Entre as obesas, o pai positivo era considerado um *puer* santificado, idealizado e delicado que se relacionava principalmente com seu próprio mundo interior.

Quando havia discórdia entre os pais, a mãe-*anima* do pai costumava ser projetada na filha, que o aceitava sem nada poder fazer ("Sou igualzinha à mãe do meu pai. Tenho orgulho disso e ele também"). Essa situação se completava quando a garota sentia a mãe como figura negativa. Entre os controles, essa *anima* tendia para objetivos atléticos, ao passo que, entre as obesas, buscava a realização espiritual e acadêmica, por vezes com sobretons sexuais. A intensidade emocional desses relacionamentos pai-filha não pode ser avaliada. Pode-se apenas dizer que as mulheres obesas tendiam a falar do pai – vivo ou morto – com familiaridade e paixão, o que sugeria que o relacionamento específico ainda não fora resolvido. Os controles, por outro lado, empregavam sua energia na tensão diária entre elas e os homens de sua idade. O "amor fantasma" parecia rondar de modo mais sombrio a psique das obesas.

COMENTÁRIOS SOBRE O PAI (TABELA 1, LINHAS 6-8)

Jamais conheci um homem tão atencioso; meu pai era um santo – tão tímido, tão gentil.

Meu pai me fez confiar demais nos homens. Eu esperava muito. Tentei manter isso, mas sempre me machuquei.

Sou como a irmã do meu pai – intelectual, viril.

Eu adorava meu pai, mas percebo quanto ele me avaliava em termos do meu brilhantismo intelectual.

Quando era uma frágil criancinha, eu tinha horror de papai. Tinha medo de errar e ser rejeitada por ele. Sabia que ele não me amaria se eu fizesse algo que o aborrecesse. Ele era um protetor; enquanto estivesse presente, eu estava segura.

Tentei agradar papai quando criança. Agora, espera-se que eu agrade o meu marido. Ele fica feliz enquanto eu me movimento como sonâmbula. Ele acha que sou eu mesma quando nunca replico nem lhe causo problemas.

Sou mais ligada a papai. Gosto de me imaginar como a sua garota. Tenho a sua sensibilidade. Prefiro estar próxima dele e não de mamãe. Aos 10 anos, jurei que jamais seria como ela. Tudo o que ela diz é sarcástico. Às vezes me surpreendo falando como ela. Detesto isso.

Esperava-se que eu fosse um garoto. O mundo é dos homens. Eu gostaria muito de ter nascido homem. Minhas qualidades como homem seriam reconhecidas. Numa mulher são uma limitação. As qualidades do meu pai são os meus pontos fortes.

COMENTÁRIOS SOBRE O AMOR AO CONHECIMENTO (TABELA 1, LINHA 10)

Dou grande valor aos livros. Tenho livre acesso à biblioteca do meu pai.

Papai começou a ler comigo quando eu tinha 3 anos. Eu ficava esperando a hora de sair da escola para correr para casa e ler com ele.

Meu amor à poesia, minha tradição literária, eu os associo a meu pai.

Em meu mundo de confinamento, os livros são a minha única chance de sobrevivência. Meu pai me ensinou a gostar da Bíblia. Eu a leio hoje porque gosto dela.

COMENTÁRIOS SOBRE A *ANIMA* DO PAI
(TABELA 1, LINHA 9)

Eu era a garota de papai.

Papai diz: "Se você ao menos fosse bonita. Se ao menos fizesse algo a respeito do seu peso e dos seus cabelos". Eu me empanturro quando estou com o meu pai. Ele não me dá nenhum amor, mas tem uma forte atração sexual por mim. Ele é um grandessíssimo avarento. Ele me suga. Nunca faço o bastante para ele. Remendar, limpar — tudo. Nada é suficiente. Mesmo que eu fosse para a cama com ele, alguém o faria melhor. Ele não quer outra pessoa na casa dele.

Fica repetindo que as outras garotas são bonitas. Então, eu atiro cada vez mais comida na boca.

A pequena *anima* de papai tem de ser essa mulher que ele quer que ela seja — uma mulher com quatro filhos: Mateus, Marcos, Lucas e João. Eu gostaria de ter uma garotinha — a criança em mim que nunca nasceu.

O excesso de peso me protegeu da sexualidade do meu pai. Na adolescência, eu temia que, se um dia praticasse sexo, me tornaria um animal selvagem.

Meu pai sempre fez pouco dos meus namorados. Ele dizia que nós nos amaríamos até a morte. Eles sempre iam embora.

Meu período de puberdade realmente excitou meu pai. Ele devia era levar um tiro.

Na minha cabeça, meu pai era um homem perfeito, brilhante, sensível, espiritual. E ele me amava – meu Deus, como ele me amava! Mas eu tinha de dar tudo em troca.

Meu pai me deu todo o dinheiro de que precisei e, em troca, me tirou o sangue. Eu o considerava o pai mais maravilhoso até perceber que ele tirara até a minha liberdade intelectual.

Papai queria que eu ficasse no Paraíso que ele criara para mim – para nós. Ele tinha medo da vida e planejou que deveríamos ficar juntos enquanto ele vivesse.

5. A Religião

Por trás do complexo do pai positivo ou da identificação inconsciente com o pai positivo, está a imago do "Deus de amor". Ao adorá-Lo, a garota aprende a colocar a coragem, o controle racional e os objetivos espirituais acima de tudo. Exige-se dela a perfeição, o que ela também exige dos outros. O esquema perfeito não tolera a fraqueza, a estupidez, o medo ou a gula. Quando não pode disciplinar a própria fome, ou quando o seu corpo se recusa a desistir do peso, ela tem de si uma experiência de pessoa impotente, e o problema passa a ter uma dimensão suprapessoal.

Nos primeiros estágios dessa batalha, ela tende a sentir-se pessoalmente culpada e carente de respeito próprio, mas acalenta certa esperança desafiadora. Aos poucos, seu sentido de justiça passa a questionar um Deus a quem ela tanto tentou agradar, mas que mesmo assim a pune no seu ponto mais vulnerável. Tal como Jó, ela se considera correta a um ponto que ultrapassa a obrigação, razão pela qual sua própria situação lhe parece incompreensível. Progressivamente – em parte por meio de sentimentos de privação e, em parte, através da fadiga física e psíquica –, ela cai num desespero silencioso. Pode falar da vontade de Deus com uma fé infantil, mas zombando de maneira viciosa da sua fraqueza pessoal, que a torna incapaz de controlar a própria vida.

Dentre as mulheres envolvidas neste estudo, apenas as que faziam análise podiam lidar com o "mal" sem tratá-lo como uma palavra abstrata; quanto às outras, o mal era projetado e elas tinham de si a experiência de vítimas de um Destino sombrio que sempre tinha relação com o peso. Em termos essenciais, elas não tinham consciência de suas próprias sombras, que tinham tomado forma somática em seus corpos rejeitados.

COMENTÁRIOS SOBRE RELIGIÃO
(TABELA 1, LINHA 14)

Antes, eu podia voltar-me para Deus como meu pai; agora eu O vejo também como o demônio.

Não posso ser religiosa no sentido convencional. Eu quase desmaio na comunhão. Mas acredito realmente em Deus. Costumava pensar Nele como um pai gentil e amoroso. Agora estou toda confusa. Como pôde um Deus de amor fazer isso comigo? Não há justiça nisso.

Sonhei que Cristo nasceria das minhas coxas gordas.

Sou perseguida pelo Cão do Céu. Quando não consigo correr com rapidez suficiente, como.

Eu costumava achar que quem acredita em Deus é fraco. Essas pessoas não eram capazes de controlar a própria vida. Tive de ser totalmente derrotada para aprender a ter humildade. Para aceitar o dom da humildade, deve-se ter força.

Sinto-me terrivelmente culpada. Não sei por quê. Sinto que devo fazer tudo o que o meu marido quiser ou então me sinto culpada. Acho que sou egoísta se quiser coisas. Então, não posso querer nada.

Aceitei o meu sofrimento e o meu perdão, mas tenho medo de que Satanás possa atacar-me por meio dos meus filhos.

Anseio por fazer a coisa certa ou a coisa que as pessoas consideram certa. Sempre tive uma dúvida esmagadora acerca do que é "certo".

Evito o mal dos meus braços balofos. Fiquei preguiçosa.

Acho ruim o fato de não ter bom senso suficiente para salvar a minha vida – como sem parar. A montanha está aqui, mas Maomé não conseguiu movê-la.

COMENTÁRIOS SOBRE A RAIVA DO DESTINO (TABELA 2, LINHAS 20 E 21)

Tenho raiva do Destino por causa do meu corpo. Tento não questionar muito. Tento fazer o melhor. Eu costumava fantasiar, mas agora não o faço.

"Por que não há Alguém que me possa ajudar?" – eu pergunto. Mas aprendi a viver no piloto automático. Quando vou para baixo, sei como ir para cima. Faço uma festa, preparo comida etc. A depressão me faz trabalhar; ela nunca me impede de fazer coisas.

Acho difícil amar um Deus que me fez assim. Preferia ser aleijada. Ao menos as pessoas não pensariam que sou apenas uma gorda estúpida. Às vezes acho que não posso continuar mais, mas tenho medo de cometer suicídio.

Sinto que Deus pôs isso em mim. Cresci acreditando que Jesus Cristo caminhava ao meu lado. Tenho sido forçada a olhar as Suas trevas... Se isso fosse certo com Deus, seria certo com o meu corpo. Se eu não tiver uma relação adequada com Deus, não tenho uma relação adequada comigo mesma. Se não tiver uma boa relação com um homem, não posso ter uma boa relação com Deus. Quando não obtenho alimento espiritual do homem ou de Deus, tenho de comer. Eu devoro comida.

COMENTÁRIOS SOBRE A PERFEIÇÃO
(TABELA 1, LINHA 31)

Sou a obra-prima do meu pai. Essa obra-prima tem de justificar a própria existência.

Tento levar minha resistência para além dos limites. Fui uma perfeccionista há vinte anos. Gosto de pensar que amadureci. Algumas coisas podem ser perfeitas e outras não o podem.

Minha casa é como um cenário teatral. Adoro organizar as coisas repetidamente. Adoro acreditar que ela parece aconchegante, mas não me vinculo a ela. Quero que as pessoas que entram nela sejam perfeitas – especialmente meu marido. Se elas me mostram as suas imperfeições, eu as detesto. Eu me torturo durante anos quando cometo um erro. Perfeição. Perfeição. É tudo com que sonhei. Ainda tenho de estar atenta para comigo mesma. Ainda sinto que devo justificar minha existência porque sou inteligente. Faça tudo o mais perfeito possível. Esse é o meu lema. Obtenha o máximo de cada dia com um oceano de ambição e um monte de realização. Sou uma extremista. Se estou envolvida numa coisa, quero que ela seja bem-feita. Desprezo a estupidez em mim mesma e nos outros. Sou perfeccionista. A perfeição não é atingida quando não falta acrescentar nada, mas sim quando não se pode tirar nada. Eis por que tenho repugnância de um corpo gordo.

Eu sabia que era importante, mas isso dependia do meu desempenho. Eu era uma produção, uma obra-prima. Logo, não podia fracassar.

6. Fantasia Preferida à Realidade

No relacionamento em que o pai temia a realidade, a filha era igualmente contaminada e buscava escapar com ele para um mundo de fantasia. Dezoito das obesas preferiam a fantasia à realidade e quinze ansiavam por um paraíso que conheceram ou sonharam com o pai. Os controles tendiam a ser mais realistas. Várias mulheres de ambos os grupos exprimiram dúvidas quanto ao amor do pai por elas como pessoas. Rememorando, elas se viram como bonecas manipuladas para satisfazer os ideais dos pais. Quando as circunstâncias forçavam a garota a assumir o papel maternal quando criança, o anseio pela infância que ela jamais teve ainda era evidente (Tabela 1, linha 26).

COMENTÁRIOS SOBRE FANTASIA PREFERIDA À REALIDADE (TABELA 1, LINHA 23)

Eu como em vez de enfrentar meus problemas. Eu não lido com a vida.

Não consigo dormir o bastante. Não me vejo em meus sonhos. Não me importa, quando durmo, se sou gorda ou magra.

Adoro sonhar. Fico livre da obsessão.

Conflito – eis a minha vida. Conflito entre o que sou e o que sonho ser.

COMENTÁRIOS ACERCA DO ANSEIO PELO PARAÍSO DA INFÂNCIA (TABELA 1, LINHA 24)

Eu gostaria de ter parado nos 7 anos. Eu era feliz. Não tinha responsabilidades.

Quando criança, eu era "A Pequena Miss Raio-de-Sol". Meu coração só começou a chorar quando fui para a escola.

Sinto que sou uma inocente e infantil criatura que se esconde em algum lugar. Morro de medo de ser incapaz neste mundo.

Sinto que me perdi na infância. Agora, quero estender minha infância pela vida inteira.

Fui forçada a ficar adulta aos 10 anos. Eu costumava me ressentir do fato de ter perdido a infância e a adolescência; carreguei nas costas a porcaria da minha família.

Assumi as responsabilidades de adulta aos 5 anos. Minha mãe estava doente e eu me senti responsável pelos irmãos menores. Só conheço o papel de mãe. Não tenho medo da responsabilidade, mas não a quero.

Jamais tive infância. Toda a minha vida representei uma sombra para a minha mãe. O pai dela era Jesus Cristo, apesar de Ele costumar chutá-la. Mamãe jamais me aceitou como sou. Ela projetava a própria criatividade em mim. Carreguei o fardo do seu sangue desde o início.

7. Agressão

A raiva impotente raramente é expressa por mulheres obesas. Na maioria dos casos, elas eram garotinhas tolerantes e abnegadas cuja principal alegria na vida era satisfazer o Papaizinho. A mãe disciplinava suas explosões espontâneas de raiva e de alegria, bem como suas lágrimas, e elas voltaram inconscientemente sua agressividade para si mesmas. Seus sentimentos inesperados vivem na jaula dos seus impulsos compulsivos, à espera da manifestação. Em geral, elas percebem que a energia está bloqueada no corpo, mas são incapazes de liberá-la. Uma de suas responsabilidades é reconhecer as lembranças da infância que estão armazenadas no corpo. Todos os seus medos de rejeição e de aniquilamento encontram-se aprisionados em seus corpos gordos, ao lado da raiva e do desejo de poder compensatórios.

Quando é gorda desde a infância, a mulher provavelmente teve de si a experiência de uma marginal social desde o começo e o desenvolvimento do seu ego pode estar seriamente comprometido.

Esther Harding, referindo-se ao complexo do ego, que precede a formação de um ego consciente, escreve:

> Quando o ego não é desenvolvido adequadamente nos adultos dos nossos dias e não se torna consciente, descobrimos que o complexo do ego permanece no inconsciente e funciona a partir dali. Na consciência, um indivíduo que represente esse nível de desenvolvimento pode carecer conspicuamente da concentração e da centração características da pessoa com um desenvolvimento mais consciente do ego; e, no entanto, o egotismo e a vontade de poder, dos quais a pessoa não evoluída não tem consciência, podem funcionar mesmo assim, produzindo seus inevitáveis efeitos em tudo aquilo com que entram em contato [...] [Quando] o egotismo e a obstinação estão no inconsciente, [...] sua manifestação toma forma somática, isto é, pré-psicológica.
>
> Quando o ego chega à consciência e o indivíduo toma consciência de si como *eu*, a reação a dificuldades ou obstruções deixa de surgir em forma física, como sintomas, e é reconhecida na consciência como emoções [...] Quer dizer, a reação passa a ser psicológica [...] O surgimento do ego a partir do inconsciente traz consigo um novo problema, o da vontade de poder.[19]

Se quiser se libertar de sintomas neuróticos, a mulher deve renunciar aos métodos inconscientes de descobrir seu próprio caminho e enfrentar a vida de maneira mais direta, obtendo assim um poder real sobre si mesma e sobre o seu ambiente.

Se, numa etapa posterior da vida, tiver dominado seu impulso de fome por meio do controle do ego, ela pode supor que é capaz de controlar o próprio destino. Mas esse ego pode, de fato, ser bem fraco por ter sido construído através do seu desligamento da corrente principal da vida por meio de uma dieta rigorosa. É construído a partir da necessidade negativa e não da positiva. Numa crise de vida real, esse ego pode não conseguir operar porque a mulher não conhece conscientemente suas próprias necessidades. Mais uma vez, o inconsciente a inundará. Ela vai protestar contra o Destino; seu corpo inchado pode tornar-se expressão do seu ego impotente e do seu medo da aniquilação. Ao mesmo tempo, contudo, o corpo a protege da morte na sua rebelião contra a sua força de vontade. A ambivalência mártir-rebelde (Tabela 1, linhas 27 e 28) reside nesse conflito. Parte dela é forçada a aceitar o que ela acredita ser o seu destino; outra parte rebela-se contra a "falsa justiça". Um ego que se coloca em oposição ao Destino tenta usurpar o poder do *Self*; ele passa da luz para a treva, da inflação para a depressão. Somente quando o ego tem firmes raízes em seu próprio sentimento feminino pode a mulher libertar-se do seu comportamento compulsivo.

COMENTÁRIOS SOBRE A AGRESSÃO
(TABELA 1, LINHA 11)

Um tigre enjaulado é algo terrível de se ver. Toda aquela força sendo usada para catar piolhos!

Nunca se lida com a raiva na minha família. Ela é destrutiva por ser subterrânea. Ignoro a minha raiva ou não a sinto e, de súbito, "BANG!".

Devorar comida é autopunição. É um ato totalmente destrutivo, sempre seguido pela depressão.

Tenho um gênio irascível. Não tolero desordem.

Posso ser ruim. A fúria me deixa cega, mas nunca ataco. Muitas vezes acordo gritando.

Quando fico furiosa com Dick, escancaro a porta da geladeira, pego tudo o que encontro e jogo garganta abaixo.

Sou capaz de matar. Eu costumava me deitar no chão e bater a cabeça. Demoro a me irritar, mas quando fico com raiva assusto as pessoas.

Raramente brigo – não há necessidade. Tenho orgulho por não brigar. Mas então sempre me volto contra mim mesma e como. Às vezes me machuco com uma faca. Nada pode me fazer parar. Nunca sinto que seja errado. Depois disso, tenho uma forte sensação de alívio. Terminei alguma coisa. Tenho de levar as coisas a uma crise para remediar a situação. Não tenho desejo de dar cabo da vida. Quero apenas me ferir. O movimento físico leva à consciência o fato de que preciso de ajuda.

Detesto o sentimento de raiva porque é autodirigido. Minha raiva sempre contém o medo da verdade.

Quando criança, eu jamais ganhava. Sei que nunca vou ganhar.

Fui desestimulada em todos os campos num ambiente demasiado restrito. Acho que eu quero vingança.

COMENTÁRIOS SOBRE SENTIMENTO APRISIONADO
(TABELA 1, LINHA 13)

Minha primeira pintura para o meu analista veio das minhas entranhas – uma coruja negra com grandes olhos inexpressivos vertendo gotas de sangue escarlate.

Quando estou feliz, todos os controles ficam desligados. Preciso ter cuidado, porque não penso como deveria. Dirijo em excesso de velocidade. Não obedeço à lei. A vida é livre. Sou livre. Como tudo o que quero nessa liberdade liberta. Quase tenho medo da liberdade, por temer o que pode acontecer. Comerei e ganharei alguns quilos? Ou a liberdade vai queimar as calorias? A energia bloqueada vai ser queimada? E, com efeito, perderei peso?

A vida é uma caixa que se fecha com rapidez sempre maior. Quanto mais luto, tanto mais a caixa se fecha.

Há um eu criativo que não consegue se libertar. Meu marido não quer que eu brilhe. Não posso dizer o que sinto.

Não há liberdade. Cai numa armadilha. Não peço para comer doces. Só quero fazer uma refeição normal. É nesse momento que vem o ressentimento e a culpa. Essa questão do peso é "a marca da besta". Se eu estivesse em harmonia com o infinito, acho que não teria esse problema. Sempre foi um terrível tormento, uma constante tirania. Se eu estivesse na sintonia correta, se as algemas estivessem abertas, eu não teria esse problema.

Minha fantasia reiterada é correr num campo e andar para lá e para cá com os braços no ar, gritando a plenos pulmões como se tivesse acabado de ser tirada de uma jaula, apenas experimentando a primeira liberdade já conhecida.

Sinto-me com frequência como uma pata com as asas presas dos lados, no interior de um forno.

Quero liberdade. Não posso ficar muito tempo num lugar sem me sentir inquieta. Meu carro é uma caixa, mas ao menos vai a algum lugar. Estou cansada dos problemas da vida e por isso tenho medo de programas de autoaperfeiçoamento. Ao primeiro problema, fraquejarei e por isso não tenho coragem de começar.

Não há saída. Tentei todas as dietas. Tomei anfetaminas até ficar tremendo sem parar. Entrei para os Vigilantes do Peso e para a Vic Tanny. Fui a homeopatas e a especialistas em acupuntura. Aos 42 anos, já perdi e ganhei mais de 1000 quilos e ainda estou gorda.

COMENTÁRIOS SOBRE O PODER
(NÃO CONSTA DA TABELA)

Eu provavelmente seria a parte forte do casamento. Eu não ia gostar disso. Não ia gostar nem um pouco – mas é provável que fosse assim. Mamãe é a pessoa forte da família. Meu pai se ressente das mulheres fortes, mas viria abaixo sem ela.

Não gosto de receber ordens, especialmente de homens.

Amo o meu carro. Sou sempre eu que dirijo.

Se achasse que não tinha a minha vida sob controle, eu ficaria realmente zangada. Não gosto da ideia de ser controlada pelo Destino. Não creio que pudesse ir em frente se não achasse que tenho o controle.

Sempre fui a mulher forte. O único homem forte que conheci foi aquele com o qual não me casei.

Eu gostaria que um homem tomasse conta de mim; a aceitei o fato de que isso não vai acontecer. Tomei conta de todos os homens da minha vida.

Não quero o poder, por não querer a responsabilidade. Eu apenas não posso ser incomodada. Seria bom ter um sentimento de controle; isso me garantiria a liberdade de escolha.

Sou uma tirana. Gosto de controlar a vida. Ninguém quer uma dama numa carruagem.

COMENTÁRIOS SOBRE A REBELDE
(TABELA 1, LINHA 28)

Meu sentido de justiça nada tem a ver com a lei convencional.

Algo em mim se recusa a morrer de fome para ser igual às outras pessoas.

Sou muito organizada e controlada e eis que algo me surge na cabeça e eu faço o que quero.

Gosto dos meus esqueminhas. A comida é importante para a satisfação ilícita. O elemento criminoso só é controlado em parte.

A vida que levo é tão anormal que qualquer reação normal seria anormal. Não tenho ideia do que é uma vida "normal". Detesto me enquadrar num modelo. Sempre fui diferente do meu grupo.

COMENTÁRIOS SOBRE A MÁRTIR (TABELA 1, LINHA 27)

Eu deixo, muito mais do que a maioria das pessoas, que as necessidades alheias ditem as minhas ações.

Sou uma mártir embutida. Não acho importante saber quem sou. Uso os meus talentos a serviço dos outros. Ajudar os outros – é o que importa. Não amo a mim mesma. Não concordo com Fromm quanto à ideia de que é preciso gostar de si mesmo para gostar dos outros. Hoje já aceitei as condições da minha vida. Não devo me ressentir daquilo com que nasci.

Não quero piedade. Sinto por mim mesma, mas a culpa é minha.

Meu amor é um doce e amável cachorrinho. Percebo que esse é outro ser de que vou cuidar.

Sempre tenho de pensar na outra pessoa. Passei toda a minha vida sendo desonesta. Desde a infância acobertei meu avô e meu pai alcoólatras.

8. A Morte

O complexo da morte, embora expresso por apenas onze das voluntárias obesas, estava implícito nos comentários acerca do medo da vida e da raiva consciente e inconsciente contra si mesmas. O medo de se afogar foi mencionado repetidas vazes. Embora possamos interpretar isso como o medo do inconsciente, ele também exprime o medo de mergulhar inconscientemente na morte. O suicídio não intencional pode tomar a forma de uma moléstia fatal. Um sentido de impotência permeava o panorama traçado por elas, o que conferia à morte uma atração e uma repulsão magnéticas. Em termos estatísticos, contudo, a taxa de suicídios é significativamente mais baixa entre as obesas, sugerindo que, como mecanismo de defesa, a obesidade pode ter um valor positivo.[20] Mas isso significa ainda que, quando os reais sentimentos chegam à tona por meio da retirada da comida, aumenta o perigo do suicídio. O desespero pode substituir o ato de comer. A vida pode ser rejeitada, de maneira consciente ou inconsciente, por meio da rejeição da comida, como ocorre na anorexia nervosa. Enquanto elaborados rituais alimentares podem proteger a jovem anoréxica dos próprios sentimentos, uma mulher desesperada talvez decida em silêncio fazer uma lenta fuga impondo-se a fome.

COMENTÁRIOS SOBRE A MORTE (TABELA 1, LINHA 2)

Tenho um medo terrível de ser tomada por outra pessoa. Às vezes, é uma Escuridão que toma conta de mim. Esse medo me faz fugir da Vida, levando-me a reter o que eu poderia dar.

Vivo morta de medo. Talvez seja medo do Olho do Mal. Tenho medo de exprimir muita alegria por temer que ela me seja tomada. Temo que algo aconteça aos meus filhos.

Quase toda manhã tenho de decidir se continuo a viver ou não.

Por vezes sinto-me impelida a desafiar a Vida em suas próprias extremidades. Tenho de enfrentar a Morte para saber o que é a Vida.

Provavelmente morrerei de câncer. Essa será a maldição de Deus contra mim. A morte é o fim do sofrimento.

Desejo muitas vezes a morte. Quando não pode ter a sua chupeta, a primeira coisa que a criança diz é que não a quer. Desde os 17 anos brinco com a ideia de suicídio. É apenas a minha força de vontade que me faz seguir em frente. Um dia desisto.

Controles

Acentuei as respostas das obesas por ser este, especialmente, um estudo das desordens alimentares. Os conflitos dos controles serviriam por si mesmos a um interessante estudo das mulheres do século XX. Todavia, algumas comparações gerais têm relevância aqui.

O fator comum aos grupos foi o amor à natureza como um conforto e como um meio de restaurar as forças (Tabela 1, linha 22). Fora isso, os controles se dividiram em dois grupos: o das mulheres com mãe positiva e o das mulheres com mãe negativa. Quinze controles, por terem mães positivas, amavam a vida, gostavam de ser mulheres, gostavam da própria sexualidade e tinham uma convicção interior acerca do próprio valor. Não apresentavam problemas para se identificar com seus corpos.[21] Eram capazes de exprimir emoções, principalmente a raiva, numa resposta espontânea a uma situação imediata. Lidavam com seus próprios problemas de maneira feminina muito clara, isto é, a partir de alguma sabedoria instintiva herdada da mãe, o que lhes permitia "sentir" o que era certo numa dada situação. Muitas das obesas tinham uma relação positiva com a mãe (com frequência a ponto de se identificarem com elas), mas quando a mãe não estava em contato com a própria feminilidade, a filha herdava o complexo da mãe negativa.

Os cinco controles que tinham mães negativas formaram um importante substrato porque seus problemas, deixando de lado a comida, tendiam a ser mais semelhantes aos das obesas, em particular no tocante ao corpo, à sexualidade, à identidade feminina e ao medo básico da vida. Tal como os outros controles, elas falavam da boa comida como parte da vida, mas, à semelhança das obesas, tinham mais dificuldade em fazer dieta. A maioria podia comer mais de 1500 calorias por dia sem ganhar peso. Sete delas tinham problemas com bebida ou com fumo.

Treze dos controles exprimiram o sentimento "aprisionado", mas nunca no tocante ao corpo. Normalmente, isso vinha do fato de não se sentirem livres para serem elas mesmas por medo de machucarem o homem a quem estavam ligadas. Essa afirmação sugere que a jaula ou prisão tinham algo a ver com o fato de terem uma vida artificial ou provisória, com frequência resultado da tentativa de viver as projeções feitas pelos outros em vez de serem o que são. Quando não tem consciência do seu ser autêntico, a mulher tende a preencher seu vazio com algum substituto.

Assim, temos na mulher obesa a imagem do corpo como uma jaula construída a partir das projeções alheias, enquanto seu próprio vazio interior é preenchido com comida; na mulher de peso normal, a jaula é menos tangível. Em ambos os casos, contudo, a chave está nas mãos do *animus* negativo, que pode, paradoxalmente, ser projetado no homem amado.

Uma coisa pareceu clara. Quando estava indubitavelmente em contato com a própria feminilidade, a mãe tinha dado à filha

Tabela 3. Comparação entre os dados da amostra de Obesas e de Controles.

	Total	Faixa Etária	Média de Excesso de Peso	Renda de Classe Média	Casadas Sem Filhos	Casadas Com Filhos	Canadenses ou Americanas	Inglesas
Obesas	20	19-64	±18 kg	20	12	7	18	2
Controles	20	18-54	0	20	16	16	15	5

	Analisandas	Estudantes	Educação Secundária	Com Diploma Universitário	Profissionais Atuantes	Donas de Casa e Profissionais
Obesas	5	4	20	10	11	7
Controles	5	2	20	12	13	3

o gosto de ser mulher e uma fé básica na vida. Uma mulher assim não precisa de análise, pois pode crescer a partir das situações reais da vida. Ela se desenvolve *cum natura*. Quando a mãe é negativa, a filha é, desde o início, perturbada na feitura de ajustes emocionais e não consegue dar os passos na direção da maturidade feminina. Se fizer análise, esses *rites de passage* nos quais fracassou na realidade podem ser feitos em termos simbólicos. Os processos físicos naturais e as imagens desses processos são trabalhados de modo consciente numa dimensão psicológica e espiritual, *contra naturam*.

Somente se lhe permitirem ter sua própria vida quando criança e se ela aprender a valorizar a si mesma e aos seus sentimentos, poderá a garota lidar de maneira criativa com a realidade. O legado da mãe e o respeito do pai pela mãe como ser feminino são essenciais para esse amadurecimento natural.

CONCLUSÕES

De modo geral deve-se diferenciar e tratar de maneira diferente a obesidade primária e a obesidade secundária. A época e a causa do início da obesidade são fundamentais na determinação da espécie de tratamento.

Ambiente Familiar de Mulheres Obesas

1. Família provavelmente orientada para a comida por várias necessidades emocionais.

2. Mãe costuma ser inconsciente da própria feminilidade, sem contato com o corpo e com a sexualidade.
3. Mãe tendia a ser dominadora com relação a toda a família, rejeitava a garota como pessoa e projetava na filha sua própria vida não vivida.
4. Mãe provavelmente considerava o pai fraco e incompetente em seu relacionamento com o mundo.
5. A experiência da filha com o masculino pode ter ocorrido por meio do *animus* da mãe; portanto, desenvolveu-se um profundo medo do "masculino". Toda a espontaneidade era rigidamente disciplinada em casa, resultando disso a falta de consciência do corpo e a perda do contato com as próprias necessidades emocionais por parte da criança.
6. A rejeição inconsciente da própria feminilidade e da feminilidade da filha por parte da mãe resultou em sentimentos de rejeição, armazenados como lembranças do corpo e sentimentos de culpa e de inadequação.
7. Como não era capaz de dar amor, a mãe pode ter sido superprotetora e indulgente com comida.
8. Filha forçada a assumir papel maternal cedo demais, rejeita por isso o papel maternal maduro, preferindo continuar criança.
9. Pai tendia a dar à filha a simpatia e o alimento de que ela precisava. Tendência para a confusão em termos de papéis dos gêneros e de limites geracionais resulta num vínculo intenso entre pai e filha.

10. Desilusão do pai com a esposa resultou em projeções da *anima* sobre a filha. Na essência, contudo, o pai foi incapaz de amar a filha por si mesma. Inconscientemente, ela o sentiu, denegrindo seu sentido de valor pessoal. Mais tarde, sua culpa e seu medo profundamente enraizados provocam a incapacidade de fazer exigências à sua própria realidade feminina, o que representa um convite à rejeição que ela teme.
11. Filha sentiu que as esperanças e os sonhos de ambos os genitores recaíram sobre si. Tentou a tal ponto realizá-los que ficou e continua a ser inconsciente do seu próprio potencial inato.

Problemas de Personalidade de Mulheres Obesas

1. Tende a levar a vida em termos das necessidades e reações dos outros. Pode compensar isso tornando-se implacavelmente possessiva. Perigo de tornar-se um autômato.
2. Convencida da própria falta de valor e, por isso, hipersensível à rejeição. Pode compensá-lo com uma visão inflada do seu próprio valor. O corpo inconsciente reflete isso em suas dimensões.
3. Quando adulta, ainda depende da mãe ou do pai e, ao mesmo tempo, rebela-se contra eles.
4. Sua vida é uma busca desesperada da própria identidade, em termos físicos e psíquicos. Quer sentir que controla o próprio corpo e a própria vida. Sem isso, desenvolve-se um crescente sentimento de desespero.

5. Teme o contato social com o grupo de parceiros, desenvolvendo um sentimento esmagador de abandono e de solidão.
6. Ego fraco leva à incapacidade de lidar com a realidade e foge para uma fantasia com um pai principesco ou com o seu representante. As fantasias tendem a ser bem infladas.
7. Não conhece a própria sombra. Sente-se manipulada e vitimada por forças maléficas vindas do exterior (por exemplo, os pais, o Demônio, Deus), mas não percebe a realidade pessoal do mal.
8. A "passividade" a aterroriza. Não compreende a energia feminina positiva. Para ela, "render-se" significa desistência, covardia, perda de controle, aniquilação. Não pode compreender a ideia de "perder a vida para encontrar a própria vida", sexual e espiritualmente. Perda resultante da sexualidade, do sentimento espontâneo e do orgasmo.
9. Devotada à ordem e à disciplina apolíneas. Tem pavor de tudo o que lembre remotamente o dionisíaco, estando, portanto, suscetível à possessão por ele (por exemplo, os excessos alimentares noturnos).

A Mulher Obesa e oseu Corpo

1. Não tem de si e do corpo a experiência de uma unidade. O corpo encarna a projeção da sombra e é experimentado como mal. A sexualidade torna-se, por conseguinte, má. Feminilidade e sexualidade são confundidas.

2. Incapaz de experimentar a própria dimensão corporal. Não sabe, psicológica e fisicamente, onde começa e onde termina.
3. Não consegue reconhecer as próprias funções corporais, interpretando erroneamente, por essa razão, os sinais vindos do corpo, a "fome" em especial.
4. A rigidez com relação aos sentimentos resulta na rigidez física e no bloqueio de energia.
5. Frustrações, agressividade e incapacidade de ajustar-se à realidade são expressas na ânsia por comida.
6. A tensão corporal, seja qual for a origem, é aliviada pela ingestão de alimentos.
7. Comer em excesso e ser obesa podem ser uma defesa contra a ruptura psicológica.
8. Não comer e ser esguia são considerados sinônimos de ser boa, corajosa, moralmente vigorosa, bela, capaz, bem-sucedida, feminina e desejável. Perder peso submeteria todas essas fantasias à prova.
9. A obesidade é com frequência uma expressão de desafio aos valores da coletividade, especialmente à ênfase na magreza.
10. Fantasias de perfeição levam a atitudes do tipo "tudo ou nada" que desencorajam a dieta moderada.
11. Corpo robusto cria um sentimento de força e de estabilidade, compensando a falta de autoconfiança e os sentimentos de inadequação.

Embora muitas dessas conclusões possam aplicar-se a outros tipos de distúrbios neuróticos, a mulher obesa é dominada pela preocupação com o peso, fator que sempre se deve considerar.

Ao interpretar esses dados, sempre tive em mente duas perguntas: por que uma mulher fica gorda, enquanto outra se mantém magra? O que a gordura simboliza? Na resposta a essas questões, as influências genéticas e ambientais se revestem da maior importância. A mulher deve observar atentamente seus ascendentes e a sua própria história pessoal, tentando então agir em harmonia com a natureza. Estatisticamente, 80% dos pais acima do peso normal têm filhos acima do peso normal, ao passo que apenas 10% dos filhos serão assim se os pais não o forem.[22] As influências ambientais se fazem sentir bem rapidamente na infância e o indivíduo deve discernir se o que parece genético o é de fato ou se seus pais também foram superalimentados na infância. As pessoas gordas em geral vêm de famílias que eram deveras orais na sua orientação diante da vida. Nelas atribuía-se grande valor ao dar e receber comida. Isso continha sobretons emocionais para todas as situações: genitores incapazes de dar amor davam comida; genitores que tinham pouco dinheiro se orgulhavam de uma mesa farta; genitores que valorizavam tradições culturais transmitiam-nas aos filhos por meio de festas suntuosas; genitores que reprimiam a própria sexualidade tendiam a compensá-lo com comida. Os outros prazeres que deveriam ter sido desenvolvidos ao longo do processo de maturação da obesa jamais encontraram na sua psique o mesmo valor. Uma vez consciente da importância da comida – e até da gordura – para si própria, ela pode ser capaz de aceitar a crescente ansiedade decorrente da autoprivação de carboidratos doces.

A resposta à segunda pergunta – "O que a gordura simboliza?" – é a substância do resto deste livro. Basta dizer aqui que o corpo gordo pode ser tanto ventre como túmulo. Se o vê como túmulo, a mulher pode estar demasiado pronta a desistir de sua busca da própria força vital que está enterrada viva em seu próprio interior. Se tiver a coragem de se olhar no espelho e ver de fato o seu lado sombrio – sem com ele identificar-se –, ela pode ser capaz de ver a sua gordura em termos simbólicos e, por isso, encontrar a objetividade para sofrer a dor da consciência. A gordura deve ser "colocada no fogo" para produzir o crescimento. A mulher deve encarar a sua própria sombra para encontrar o tesouro; o relacionamento consciente com o próprio corpo pode dar-lhe a oportunidade de relacionar-se com o seu próprio sentimento feminino inconsciente.

Em vez de escapar comendo ou na atividade do *animus*, a mulher obesa deve tomar a sua própria cruz e carregá-la. Isso significa, para ela, aceitar os opostos e suportar o sofrimento até que o corpo ressuscitado possa nascer. A mulher com mãe negativa e pai positivo pode ser duplamente inconsciente. Sua tarefa consiste em libertar o seu próprio espírito criativo masculino do ventre da mãe devoradora e, ao mesmo tempo, libertar o seu próprio espírito feminino do túmulo do seu pai Jeová.

ALGUNS FATORES A SEREM CONSIDERADOS PELO TERAPEUTA OU ANALISTA DA MULHER OBESA

1. Quais os meus sentimentos conscientes e inconscientes com relação à mulher gorda?
2. Posso respeitá-la como pessoa e ouvir o que ela diz sem um viés do tipo "as magras é que importam"?*
3. Sua obesidade é primária? Se o for, posso ajudá-la a aceitar o seu porte e conviver feliz com ele?
4. Em qual idade sua preocupação com a comida começou a atrapalhar seu desenvolvimento emocional?
5. A obesidade é um padrão em sua vida? Desenvolveu-se gradualmente? Será uma reação a algum evento traumático?
6. Posso imaginar como é viver num corpo que não experimento como meu?
7. Posso ajudá-la a experimentar e a entender os sentimentos fechados no seu corpo sem impor a minha interpretação intelectual?
8. Seu médico vai cooperar comigo?
9. Ela sabe quanto come? Pode me dizer a verdade acerca dos seus hábitos alimentares?
10. Ela está sofrendo de deficiências nutricionais? Seu humor tem relação com as súbitas flutuações dos seus padrões alimentares?

---

* Adaptação livre de *think-thin*. (N.T.)

11. A comida é para essa mulher um vício que representa uma necessidade simbólica não encarada e/ou uma fuga da realidade?
12. Terá ela necessidades vitais que estejam sendo satisfeitas com comida? A dieta criaria nesse ponto problemas psicológicos mais sérios (por exemplo, risco de suicídio)?
13. Suas expectativas de ser magra correspondem à realidade? A perda de peso vai resolver ou acentuar seus problemas psicológicos?
14. Sua autodisciplina no tocante à comida reflete-se num rígido controle dos seus sentimentos? Estarão seus modos calmos e compostos e sua atitude "normal" para com a comida ocultando uma ruptura da transferência?
15. Ela consegue distinguir entre a fantasia e a realidade? Posso distinguir entre o que é real e o que é representação na sua fala e em suas ações? Posso manter o meu senso de humor?
16. Há algum perigo de um episódio psicótico caso essa mulher (em especial se jovem) perca peso?

Capítulo II

O Corpo e a Psique

> [...] *We are not ourselves*
> *When nature, being oppressed, commands the mind*
> *To suffer with the body.*
>
> — King Lear
>
> [(...) Não somos nós mesmos
> Quando a natureza, oprimida, ordena à mente
> Que sofra com o corpo.]

Geralmente se aceita em nossos dias que a psique e o corpo são uma unidade indivisível. Por conseguinte, um breve estudo do metabolismo do corpo é essencial para uma compreensão psicológica dos problemas somáticos da obesidade. A pesquisa dos últimos trinta anos deixou bem claro que o equilíbrio energético do corpo não depende apenas da ingestão de calorias e do gasto de energia; as revistas médicas trazem incontáveis relatos de experimentos que introduzem novos fatores, psíquicos e somáticos, a serem considerados.

Não sendo bioquímica nem endocrinologista, não estou qualificada para discutir o intricado equilíbrio de hormônios, enzimas e percursos bioquímicos da energia no corpo.[23] Na qualidade de analista, contudo, ao trabalhar com uma paciente obesa tenho consciência da sua alienação em relação ao próprio corpo. O corpo tornou-se o seu inimigo. Ela seguiu uma dieta sem gordura, uma dieta de alto teor de gordura, uma dieta de 1000 calorias por dia – e nada disso adiantou. Seu corpo se incha e desincha por vontade própria e, na maioria dos casos, ela desistiu de tentar compreendê-lo. O médico, exceto se for deveras versado na moderna pesquisa da área, acredita que ela é mais uma "gordinha" que não tem força de vontade para seguir a dieta, devendo ele dedicar sua atenção a quem realmente precisa.

De uma perspectiva psicológica, portanto, é essencial que a mulher inteligente aprenda por si mesma os mecanismos do corpo; o corpo tem suas necessidades nutricionais específicas e ela pode encontrar um interesse renovado em experimentar alimentos que consegue ou não metabolizar de maneira adequada. Além disso, na minha experiência, muitas mulheres obesas são intuitivas, tendo a sensação como função inferior. Elas ficam fascinadas com suas imagens oníricas e tendem a ignorar o corpo no qual a sua sombra está embutida, situação que termina por levar à enfermidade ou à "possessão". Essa consciência unilateral pode ser corrigida por meio da concentração da atenção numa abordagem criativa do corpo – uma compreensão amorosa do seu mecanismo peculiar. Elas podem ficar cada vez mais fascinadas com os detalhes do cuidado do corpo, levando-o, e aos seus problemas psíquicos, para a consciência.

Esse encontro produzirá inevitavelmente o conflito dos opostos, que elas terão de suportar se quiserem crescer. Do ponto de vista psicológico, é essencial que a mulher obesa enfrente o seu problema da sombra tal como é evidenciado em seu corpo. Tendo isso em mente, há determinados fatos biológicos básicos, na medida em que os conhecemos hoje, que têm valor numa situação terapêutica.

O METABOLISMO DO CORPO

O corpo é uma máquina magnificamente afinada, programada para metabolizar carboidratos, proteínas e gordura.

| Combustível proveniente da comida ou de depósitos de gordura | + Oxigênio = | Energia (calor produzido para a atividade mental e física) | + | Dióxido de carbono e água (excrementos) |

O hipotálamo, área do cérebro situada bem acima da glândula pituitária e a ele conectada, coordena a ação de todos os hormônios do corpo, incluindo aqueles que controlam o apetite e o ciclo menstrual. Ele recebe a mensagem "fome" do nível reduzido de glicose no sangue; isso é coordenado com as crescentes contrações do estômago vazio, percebidas pelos centros superiores do cérebro e interpretadas como fome. O nível de açúcar no sangue deve ser mantido, porque a glicose é essencial para fornecer energia ao cérebro, que não pode decompor proteínas nem gordura. A glicose vem do carboidrato e/ou do glicogênio do fígado, sendo a fonte de energia de uso mais imediato para toda célula. O açúcar no sangue costuma ser mantido na faixa de 80-120 mg%. Cem gramas de açúcar diluído em água são absorvidos no sangue poucos minutos depois de ingeridos. Em meia hora, o pâncreas recebe a mensagem de liberar insulina, que força o açúcar a penetrar nas células de todas as partes do corpo. Dentro de uma hora ou de uma hora e meia, o açúcar existente no sangue começa a se reduzir e, depois de três a quatro horas, a curva volta ao normal.

O sangue é mantido com uma taxa normal de açúcar por meio de um mecanismo homeostático conhecido como glicogenólise hepática. Nesse processo, quando a taxa de açúcar no sangue fica abaixo do nível normal do indivíduo, o fígado libera glicose a partir do glicogênio, a forma em que o carboidrato é armazenado. Terminados os depósitos de glicogênio, o fígado recorre à síntese de glicose a partir dos depósitos de proteína, processo conhecido por gliconeogênese, fornecendo açúcar ao sangue. Também as gorduras são decompostas passo a passo para fornecerem energia ao sangue. Enquanto a glicose é metabolizada de maneira eficiente e completa, a gordura é decomposta de modo menos completo em muitos metabolitos intermediários, ou seja, ácidos e acetonas graxos.

Esse é o processo básico da natureza. A fome é um impulso fisiológico que deve ser satisfeito num dado momento. Todavia, a pessoa que sofre de uma desordem alimentar tende a confundir "fome" e "apetite", visto que, nela – como ficou claro a partir do material experimental do Capítulo I –, a comida adquiriu conotações que ultrapassam em muito a nutrição corporal. Quando essa confusão dura um certo número de anos, ocorrem determinadas mudanças fisiológicas que fazem a sineta da fome tocar antes da hora em que toca no apetite normal. O Dr. Jay Tepperman, autoridade reconhecida, diferencia-os na seguinte definição:

> Fome é a percepção da necessidade de ingerir alimento, podendo ser acompanhada por um complexo conjunto de fenômenos, incluindo pontadas, salivação antecipativa, aumento do comportamento de busca de comida etc. Em suma, a fome é um mal-estar, uma desagradável combinação de sensações que, à medida que progride, adquire caráter frenético [...] Apetite é o desejo de ingerir comida. Ao contrário da fome, que ocorre quando o suprimento de nutrientes do corpo é gasto além de um certo nível de manutenção preestabelecido, o apetite pode persistir depois de a fome ser saciada. O apetite é fortemente influenciado pela emoção, pela presença ou ausência de estímulos condicionantes ou distrativos e por escolhas discriminativas de vários tipos. A saciedade é a falta de desejo de comer que ocorre depois da ingestão de comida.[24]

Quando a comida preenche necessidades emocionais, a saciedade ou não é reconhecida ou é ignorada fisiologicamente. A pessoa que se tornou dependente do alimento como um soporífero para aliviar a ansiedade, a frustração e o vazio emocional não se excede em proteínas e gorduras; ela deseja doçura, que encontra nos carboidratos. Se o sistema é perturbado pelo continuado consumo excessivo de carboidratos, ou se a pessoa é geneticamente predisposta, a insulina se torna cada vez menos eficaz, até surgir a diabete. Nessa doença, o açúcar vai para a circulação sanguínea, mas, em vez de dirigir-se às células, permanece sem uso, visto que a insulina não tem eficácia; como resultado, o volume de açúcar no sangue continua a aumentar de nível e mantém-se elevado. A correlação entre o diabete e a obesidade é bem conhecida; e o indivíduo obeso tem com frequência uma curva semelhante à do diabete, pois seu corpo requer mais insulina.[25]

A hipoglicemia (carência de açúcar no sangue) pode ter causas orgânicas, mas a hipoglicemia funcional costuma ser causada pela ultrarreação aos carboidratos. O pâncreas sobrecarregado responde com um excesso de insulina e o açúcar no sangue fica num nível demasiado baixo. A fadiga e a depressão, que sempre são componentes da síndrome da obesidade, têm tanto uma causa bioquímica como uma causa psíquica; são sintomas de pouco açúcar no sangue. O carboidrato eleva temporariamente a energia e o estado de ânimo; mas, quando o nível de açúcar no sangue cai, podem surgir muitos sintomas além da fadiga e da depressão, tais como irritabilidade, tontura, dor de cabeça, desmaios e confusão mental.

ALGUMAS CONCEPÇÕES CONTEMPORÂNEAS DA OBESIDADE

A maioria dos médicos é veemente em sua condenação da dieta moderna, tão sobrecarregada de açúcar e de carboidratos refinados, porque o mecanismo natural do corpo não está equipado para lidar com esses alimentos não naturais. Esse tipo de dieta é sem dúvida responsável, em parte, pelo fato de a obesidade ter se tornado um dos mais importantes problemas de saúde pública da nossa cultura. Trata-se de um elemento que se manifesta ao lado de muitas moléstias crônicas. Segundo Beeson McDermott, 30% dos homens e 40% das mulheres americanos têm dez ou mais quilos acima do normal.[26]

Uma das causas disso pode ser o valor nutritivo mais pobre dos alimentos modernos. A ingestão de calorias na nossa sociedade altamente mecanizada não precisa ser tão grande quanto o era para nossos pais pioneiros, mas nossas necessidades de vitaminas e de proteínas são as mesmas. Os alimentos instantâneos podem deixar o nosso corpo genuinamente faminto de nutrientes essenciais e, por isso, ele pede mais calorias numa tentativa de atender às suas necessidades de vitaminas, sais minerais e proteínas.

Como a maioria dos atos de alimentação compulsiva é um devorar incontrolável de carboidratos concentrados, e como a dieta de alta taxa proteica e de gordura costuma ser bem-sucedida quando uma dieta de 1000 calorias por dia fracassa, concentrou-se um amplo interesse nas dietas que procuram modificar o metabolismo do corpo. Na sua essência, isso significa que, quando já não dispõe de reservas de carboidratos, o fígado se volta para a gliconeogênese, convertendo proteínas e, trabalhando com o restante do corpo, convertendo reservas de gordura a fim de produzir energia.

O Dr. Richard Mackarness, psiquiatra que dirige uma clínica de obesidade e de alergia alimentar em Basingstoke, Inglaterra, acredita que a obesidade pode ser causada por uma intolerância ou hipersensibilidade para com uma dieta demasiado concentrada de carboidratos refinados.

> A gordura é o alimento que *menos* engorda porque, na ausência de carboidratos, ela (e, em menor grau, a proteína) ativa os foles nos fogos do corpo numa pessoa gorda, permitindo-lhe mobilizar sua gordura armazenada e ajudando-a a queimar de maneira mais eficiente o alimento que ingere. Numa dieta de alta dose de gordura, a água representa 30% a 40% da perda de peso.[27]

O Dr. Richard assinala que a incapacidade da pessoa obesa no sentido de lidar com os carboidratos deve-se a "um bloqueio ou desvio da cadeia de reações químicas que leva da glicose à liberação de calor e de energia no seu corpo".[28] Ele alega enfaticamente que os mecanismos físicos e mentais que levam um alcoólatra a beber "não diferem dos que levam o obeso viciado em carboidratos [...] a devorar bolos e doces. Ambos os mecanismos constituem formas de vício".[29] Enquanto a proteína e a gordura não provocam o vício, os amidos e açúcares, em especial quando refinados e concentrados, tendem a levar a excessos alimentares compulsivos.[30]

A pesquisa mais recente de Mackarness levou-o ao estudo da abordagem da doença mental que parte da alergia. Em *Not All in the Mind* [Nem tudo está na mente], ele sugere que muitas doenças consideradas psicossomáticas são na verdade "somatopsíquicas e têm base alérgica, e não emocional".[31] Em resumo, ele assinala que o sistema nervoso humano não foi construído com amidos e açúcares e que, como tende a basear sua dieta em carboidratos refinados, o homem do século XX atrai "um cérebro e nervos construídos inadequadamente e que funcionam mal".[32]

Dois médicos americanos, E. Cheraskin e W. M. Ringsdorf Jr., trabalhando com pesquisas semelhantes, afirmam em seu livro, *Psychodietetics* [Psicodietética], que as pressões da vida moderna impõem crescentes exigências mentais e físicas ao corpo, mas que a dieta moderna não está balanceada o suficiente para enfrentar a carga. "A prática frequente de dietas leva ao colapso emocional [...] Suprimentos de nutrientes do tipo dia sim, dia não distorcem o funcionamento do cérebro, ficando a mente metabolicamente frenética."[33] Eles também acentuam a fadiga do pâncreas, causada pelas exigências incansáveis que os carboidratos refinados lhes fazem. "Quanto maior a quantidade de doces ingerida, tanto maior a quantidade de insulina liberada, tanto menores os níveis de açúcar no sangue e tanto maior o desejo de consumir açúcar... e assim por diante, num ciclo interminável."[34] Eles estão tentando persuadir as pessoas a abandonarem o vício alimentar, com todas as suas doenças físicas e mentais incipientes, e a retornarem a uma dieta natural.[35]

Dr. Atkins' Diet Revolution [A dieta revolucionária do Dr. Atkins] vendeu mais de 4 milhões de exemplares, um número que mostra por si só a magnitude do problema e o fanatismo que nele está envolvido. Prometendo aos seus leitores que eles não ficarão famintos com a sua dieta de alta taxa de gordura/alta taxa de proteína, afirma o Dr. Atkins:

> O estresse, a ansiedade e a tensão emocional tendem a engordar as pessoas sensíveis aos carboidratos [...] Quando nos encontramos sob pressão, nosso corpo produz adrenalina. E a adrenalina eleva os níveis de açúcar no sangue. Isso, por sua vez, inicia uma inundação de insulina, de maneira que o açúcar no sangue termina num nível inferior ao que tinha no começo [...] Nesse ponto baixo, comemos e bebemos para obter energia, conforto, descanso e alívio para nossos temores, para nossa raiva e para nossas tensões. As combinações proteína/gordura tendem a ser estabilizadores da insulina [...] Ao contrário dos carboidratos, elas não afetam dramaticamente os níveis de açúcar no sangue e, por isso, não provocam a inundação de insulina.[36]

Ele também ataca a cafeína do chá, do café e dos refrigerantes, porque ela leva a um excesso de produção de insulina.

COMO O ESTRESSE INFLUENCIA A OBESIDADE

O Dr. Mackarness tem uma dívida com o Dr. Hans Selye em seus estudos acerca do estresse. Em *Stress Without Distress* [Estresse sem sofrimento], Selye conclui que os estágios da adaptação ao estresse são notavelmente uniformes, pouco importando a natureza do estresse. Evidenciou-se, a partir de experimentos com animais, que "o mesmo conjunto de mudanças orgânicas causadas pelos extratos glandulares também era produzido pelo frio, pelo calor, pela infecção, pelo trauma, pela hemorragia, pela irritação de nervos e por outros estímulos".[37] Na autópsia, todos os animais mostraram ter adrenais intumescidas e descoloridas, timos murchos e estômagos com úlceras perfuradas. A reação ao estresse seguiu um padrão idêntico:

> (1) a reação de alarma, em que a secreção de ACTH [corticotropina] da pituitária precipita o reajustamento hormonal ao estresse; (2) o estágio de adaptação ou de resistência, no qual a homeostase fisiológica é mantida sob condições de estresse; (3) por fim, o estágio de exaustão, em que as glândulas sobrecarregadas já não podem prosseguir.[38]

Selye reconheceu que o estresse pode ser suportado por todo esse período, dependendo da duração da resistência da adaptabilidade inata do organismo e da intensidade do estresse. Anormalidades fisiológicas e psicológicas podem perturbar o processo de adaptação. Embora haja exceções às conclusões de Selye, e embora algumas relações hormonais ainda não sejam plenamente compreendidas, os pesquisadores revelam um crescente interesse pela enfermidade em termos de reação de alarma e de adaptação.

Falando especificamente do estresse provocado por alergia alimentar, Mackarness assinala que o paciente pode sentir confusão mental, cansaço imobilizador, dores de cabeça, dores abdominais, intumescência e erupções. Os sintomas costumam acompanhar-se de um forte desejo de comer, de beber ou de fumar para encerrar a tensão interior.[39]

A situação de estresse numa criança portadora de obesidade primária torna-se um círculo vicioso; a criança tenta conter a ansiedade com comida e, como resultado, engorda mais. Como muitas crianças, ela imagina que está sozinha de alguma maneira alienante. Sua imaginação, contudo, tem bons fundamentos, visto que vive numa cultura voltada para a beleza da magreza e, por isso, ela carrega a sombra dos seus companheiros e até de adultos.

Sua personalidade danificada passa por problemas mais difíceis na adolescência, período em que, na nossa sociedade, a sexualidade e a feminilidade tendem a estar associadas com o fato de ser magra. Sua adaptação à idade adulta se desenvolve a partir de anos de solidão, enquanto a irmã que tem obesidade secundária começa a sua luta com outro tipo de relacionamento com seu ambiente e com sua própria imagem do corpo, tendo além disso um conjunto diferente de células adiposas. Assim, o estresse é um fator a ser considerado de duas perspectivas distintas e de dois diferentes níveis de intensidade.

O quadro a seguir ilustra dois padrões de desenvolvimento: um para a obesidade primária e outro para a secundária. O fator estresse é crucial – fisiológica e psicologicamente – em ambos os casos, mas suas variantes devem ser levadas em consideração na terapia.

DIFERENÇAS EM TERMOS DE FATOR ESTRESSE NA OBESIDADE PRIMÁRIA E NA OBESIDADE SECUNDÁRIA

Primária (Endógena)	Secundária (Exógena)
1. Hipercelularidade e obesidade na mais tenra infância.	1. Número normal de células adiposas. Corpo normal na infância.
2. Hipercelularidade irreversível; portanto, há grande dificuldade em manter mais tarde a perda de peso.	2. Número normal de células adiposas pode ter dimensão reduzida mais tarde, se necessário, por uma dieta sensata.
3. O excesso de tolerância e a superproteção da criança podem ser o resultado de uma rejeição fundamental por parte dos pais, sentida inconscientemente pela criança.	3. Criança amada, podendo crescer naturalmente; basicamente segura.
4. Personalidade tímida, dependente e submissa; com frequência, relação intensa com um dos pais.	4. Criança pode crescer em seu próprio espaço.
5. Criança se sente como uma deformidade social desde o começo. Tem medo de ser alvo de chacota, de ser rejeitada e da vida. Fuga gradual da realidade.	5. Criança cresce como membro do grupo. Pode participar de esportes, de danças, de modismos e da moda.
6. Insegurança emocional básica. Ego imaturo, com frequência no inconsciente. Recai com facilidade no padrão regressivo. Tenta apegar-se a antigos ideais, a uma estrutura rígida.	6. Ego jovem luta para crescer; ajusta-se naturalmente a novas situações.
7. Sentimento bloqueado. A criança não consegue crescer. Incapacidade de ajustar-se a novas situações.	7. Não é atrapalhada pelo conflito emocional. Capaz de tomar decisões sem estresse.

A insegurança e a necessidade de amor podem desenvolver-se em qualquer idade. Se a personalidade imatura não puder lidar com suas necessidades, surge a ansiedade. Se a orientação inicial for para comer em busca de alívio, é quase certo que a pessoa ganhe peso.

Primária (Endógena)	Secundária (Exógena)
8. Sentimento de impotência passiva, alternando-se com impulso agressivo. Tentativa de manter aparência de vigor e de maturidade. Ambivalência – busca de poder, busca de afeição.	8. Crescente confiança com relação ao próprio corpo, ao ego em amadurecimento e às situações sociais.
9. Criança come inconscientemente para compensar dificuldades emocionais.	9. A comida é parte da vida.
10. Na época da adolescência, a comida adquire intensidade obsessiva.	10. A comida é parte da alegria da adolescente.
11. Corpo obeso torna a passagem para a maturidade feminina quase impossível. Formação de alienação.	11. A garota normal tem orgulho do próprio corpo, apreciando relacionar-se com os homens.
12. Na idade adulta, os maus hábitos se acham enraizados. Distúrbios endócrinos podem tornar-se patológicos, devido ao medo e à raiva crônicos no corpo. A correção torna-se muito difícil por razões físicas e psicológicas.	12. Na idade adulta, com outros fatores mantidos constantes, a mulher ganha peso porque come demais da comida errada e não faz exercícios suficientes. A correção dos hábitos soluciona o problema.
13. A prática de dieta pode não corrigir a obesidade. Sentido crescente de futilidade e de desespero.	13. A perda de peso leva a um sentido de respeito por si mesma e de rejuvenescimento.
14. "A condição hormonal de pacientes pronunciadamente obesos é sobremodo anormal, assemelhando-se em muitos aspectos mais com a de pacientes portadores de anorexia nervosa do que com a de mulheres saudáveis."[40]	14. A mulher não tem de lidar com severas dificuldades hormonais, exceto se houver outros fatores envolvidos ou se a obesidade for de longa duração.
15. Tempo de vida natural, exceto se a obesidade for pronunciada.	15. Tempo de vida encurtado. Mais problemas com doenças por vezes associadas com a obesidade – gota, hipertensão, arteriosclerose etc.

O trabalho de Selye deu prosseguimento às pesquisas do Dr. Walter Cannon, cujas experiências no início do século XX constituíram a base do estudo das mudanças adaptativas do corpo que são essenciais para a manutenção da vida sob condições de estresse. Embora seu trabalho não explore o papel da pituitária nem do córtex adrenal, o que foi feito pelas pesquisas modernas, suas descobertas são válidas na medicina moderna. Como a nossa análise dos complexos dos indivíduos obesos aponta para um estado quase crônico de medo e de raiva reprimida, as conclusões de Cannon em *Bodily Changes in Pain, Hunger, Fear and Rage* [Mudanças corporais na dor, na fome, no medo e na ira] são pertinentes para uma compreensão da patologia corporal que pode se desenvolver. Realizadas cuidadosas experiências com animais, Cannon concluiu:

> [Há] claras evidências de que, na dor e na emoção profunda, as glândulas, na verdade, secretam um excesso de adrenina [termo então usado por ele][41] no sangue circulante.[42]
>
> [A adrenina] é capaz de induzir-se por si mesma, ou devido ao aumento das influências nervosas que de fato induzem na víscera as próprias mudanças que acompanham o sofrimento e as grandes emoções.[43]
>
> Essas mudanças viscerais que ocorrem como resultado da estimulação somática são as seguintes: aceleração do coração, contração de arteríolas, dilatação de bronquíolos, aumento do nível de açúcar no sangue, inibição da atividade das glândulas digestivas, inibição da peristalse gastrintestinal, sudorese, descarga de adrenina, aumento das pupilas e ereção de cabelos.[44]

Essas mudanças ocorrem em estados emocionais de medo e de raiva, bem como nos estados físicos de febre e de exposição ao frio. Além disso, quando o animal se prepara para fugir ou para lutar, os músculos da parede abdominal e do diafragma são voluntária e antagonisticamente contraídos, o que enrijece o tronco para sustentar os braços que lutam; o resultante aumento da pressão abdominal força o sangue a sair da região. A distribuição do sangue no corpo é alterada, de maneira que, enquanto a víscera abdominal é privada temporariamente do seu suprimento total de sangue, o coração, os pulmões, os músculos e o sistema nervoso central ficam bem supridos. Ao lado do copioso suprimento extra de açúcar no sangue como fonte de energia muscular, o corpo é preparado para dar o máximo. É numa crise psíquica dessa espécie que vem o excesso alimentar. Parece evidente que a natureza não pode servir de guia a uma pessoa tão afastada dos próprios instintos que costuma comer quando todos os seus processos corporais se encontram prontos para a luta ou para a fuga, e não propriamente para a digestão.

Nenhuma dessas reações corporais à dor ou à emoção intensa é movimento voluntário. No decorrer de anos de experiência da raça, essas respostas espontâneas da nossa organização nervosa foram se estabelecendo para salvaguardar nossa sobrevivência em momentos nos quais procuramos instintivamente fugir ou lutar. Em condições normais, elas não são evocadas, mas, se necessário, o corpo está pronto a fazer fluir correntes de energia. Distúrbios emocionais violentos produzem reações igualmente violentas na dinâmica corporal. Quando as reações físicas à emoção e à dor não são traduzidas em ações, é concebível que o excesso de adrenalina e de açúcar no sangue venham a ter efeitos patológicos.[45]

Cannon desenvolveu ainda mais a sua teoria, ao assinalar que o homem difere dos animais por ter desenvolvido de maneira ampla o seu hemisfério cerebral. No processo da evolução, essas estruturas cerebrais foram impressas ou, por assim dizer, enxertadas num caule cerebral que pouco se diferencia entre os vertebrados superiores. Concluiu ele:

> A organização nervosa da demonstração de raiva (e de outras respostas primitivas), tanto nas atitudes corporais como em termos de mudanças viscerais, localiza-se numa parte antiga do cérebro, o tálamo óptico. Essa região não se assemelha ao córtex cerebral, no qual novos ajustes ao mundo exterior são feitos ou modificados de maneira continua. Em vez disso, aproxima-se da medula espinhal, local em que se situam os mecanismos mais simples dos movimentos ordenados e no qual os estímulos evocam respostas reflexas fixas e uniformes.[46]

O córtex cerebral não pode causar nem evitar os processos intempestivos do tálamo que produzem distúrbios característicos da grande excitação. *Por conseguinte, uma emoção reprimida só tem reprimida a sua manifestação exterior.* Se as inibições forem momentaneamente interrompidas, os neurônios subcorticais – os neurônios que não estão sob o controle imediato da consciência – assumem o comando e levam o indivíduo a ter respostas arcaicas.

Esses processos que ocorrem nas profundezas da parte antiga do cérebro podem afetar o corpo de maneira pronunciada, causando distúrbios patológicos. As vísceras não podem ser controladas de modo consciente, sendo além disso influenciadas por processos associados com o sentimento e com a emoção. Uma reação emocional tem muitas características da resposta reflexa; se o estímulo for ignorado, ela pode permanecer de maneira inconsciente até criar um estado patológico, assim como pode simplesmente cessar de funcionar. Como a memória é mantida no corpo, até associações podem renovar o estímulo original, que embora menos intenso, age sobre o conjunto sensibilizado de neurônios de resposta. Ademais, como o provou Pavlov, os estímulos associados podem começar a estabelecer uma ação reflexa no córtex cerebral, de maneira que, por meio de associações ampliadas, as respostas emocionais podem ficar sujeitas a estímulos condicionados cada vez mais envolvidos, resultando numa grande complexidade em termos de comportamento afetivo.

Se as funções corporais forem desordenadas de modo persistente por fortes reações emocionais, os estímulos originais que, evocam essas reações devem continuar a existir, consciente ou inconscientemente. Eles permanecem porque não são concretizados pela complementação do impulso emocional, ou porque são reestimulados quando a complementação do impulso se torna impossível em função de lembranças, do terror ou do remorso, que mantém viva a reação.

As emoções repetitivas que produzem os impulsos nervosos podem causar desastrosas consequências no organismo. Como o córtex cerebral não tem controle sobre as funções das vísceras, a razão não pode agir sobre uma pulsação acelerada dizendo-lhe que funcione de outra maneira, assim como não pode encher um coração vazio.

Qual o significado do trabalho de Cannon para a nossa compreensão da obesidade? Repetidas vezes, durante o Experimento de Associação, as mulheres obesas, as de obesidade primária em especial, exprimiram uma acabrunhadora sensação de derrota, um sentimento de se encontrarem em poder de uma força demoníaca misteriosa sobre a qual não tinham controle. O destino estava contra elas. O melhor que podiam fazer era aceitar a derrota e tentar viver a vida o mais plenamente possível, apesar das trevas que ameaçavam engolfá-las.

As conclusões de Cannon oferecem uma explicação fisiológica desse demônio. Os sonhos dessas mulheres revelam a força demoníaca na forma de serpentes ou animais pré-históricos, que se tornam demoníacos porque estão deveras ultrajados pela grande insensibilidade para com suas necessidades. A serpente, o espírito que há no corpo, reage violentamente à pressão da programação moderna. Seu ritmo não é o tic-tac, tic-tac, tic-tac interminável do relógio, nem o incansável trabalhar, trabalhar, trabalhar da máquina, nem o frenético vamos, vamos, vamos da sociedade. A consciência coletiva, rígida, não aceita isso e, cedo ou tarde, força o ego a reconhecer sua raiva contra a disciplina racional em vigor. Ela transcende o tempo, mesmo que isso exija a morte.

EFEITOS PATOLÓGICOS DO MEDO E DA RAIVA

Helen (51 anos, 1,65 m, na balança, "do lado errado do 90") foi uma das mulheres portadoras de obesidade primária deste estudo. Ela foi um "belo" bebê de 5 quilos, filha mais velha de pais bem-educados de classe média. Sempre suspeitou de que seus pais preferiam um garoto, mas não foi abertamente rejeitada. O pai, um arquiteto tranquilo, afetuoso e idealista, encontrou na filha em crescimento a compreensão e a devoção que sua esposa agitada e dominadora não lhe pôde dar. Desde o início, Helen lutou para ser digna do seu amor; ela era a sua companheira perfeita, a sua estudante perfeita, a sua perfeita mulherzinha. Embora tivesse medo da mãe, ela rememorou a infância como um paraíso.

A escola foi o começo dos problemas. Bem à frente dos colegas em termos de capacidade acadêmica, ela era emocionalmente incapaz de se relacionar com o acidentado mundo da criança. Assustadiça e solitária, começou a ouvir as exclamações de zombaria: "Gorda, gorda, gordinha/Não pode passar pela porta da cozinha" Pela primeira vez, ela percebeu que era uma "deformidade social". Sua hipersensibilidade ensejava incontroláveis ataques de choro no pátio da escola por nunca ser escolhida para brincar. Sentia vergonha da mãe quando iam comprar roupas e cansou de ouvir a sua triste defesa: "Não compreendo. Ela não come muito".

"Eu nunca sabia de onde viria o golpe", disse Helen.

> Eu tentava ser o mais acomodada e boa possível, para que ninguém percebesse a minha presença. Vivia no meu próprio mundo de sonho. Uma vez bati numa garota que me incomodava e fiquei tão brava que não percebi o que estava fazendo e a atirei por cima de uma cerca. Isso me assustou.

Quando Helen tinha 12 anos, o pai não conseguiu suportar mais o domínio da mãe e abandonou a família, deixando Helen cuidando de duas irmãs mais novas enquanto a mãe ia trabalhar fora.

> Eu recebia ordens da minha mãe. Eu fazia comida. Sentia-me importante. Era necessária. Ainda preciso ser necessária. Eu lia livros de culinária para me tornar uma excelente cozinheira. Era elogiada. Ainda preciso de elogios.

Os padrões de medo e de raiva estavam profundamente enraizados em Helen pelos seus 7 anos. Sua natureza hipersensível reagia com terror extremo a um mundo exterior que a atacava por causa do seu porte; seu medo da rejeição era compensado pela vontade de poder. Aos 14 anos, seu metabolismo havia sido danificado a tal ponto que lhe receitaram um remédio para a tiroide, medicamento do qual ainda é dependente e apesar do qual ela sempre está fria e cansada.

A puberdade e a adolescência foram um inferno. Seu ciclo menstrual foi um choque e a atitude da mãe reforçou o seu terror e a sua culpa. Ela era excelente na escola, mas seu relacionamento com os garotos era impossível. Ela idolatrava o diretor da escola a distância e sonhava consigo mesma: "Se eu não fosse gorda, Graham me amaria". Seu porte tornou-se um obstáculo a todos os prazeres da vida, sem que ela compreendesse os problemas mais profundos envolvidos no assunto. A dança tornou-se a sua paixão; mas depois de passar algumas noites encostada na parede, passou a escrever poemas de amor e a fazer bolos nas noites em que havia baile na escola. Às vezes, a turma que voltava passava em sua casa para provar o que ela preparara. "Eu era um capacho", disse Helen. "Eu faria tudo para conquistar o amor das pessoas." Na universidade, ela tentou fazer dieta; viveu de proteína, mas continuou gorda, terminando por renunciar às suas tentativas de ficar bonita.

> Aos poucos deixei de me incomodar. Aprendi a fazer brincadeiras comigo mesma antes que os outros o fizessem. Aprendi a rir de mim mesma, mas nem por isso acabou a depressão. Eu era uma forasteira. Tornei-me uma silenciosa e teimosa rebelde. Eu conhecia o meu ponto de vista e sabia que podia mantê-lo; o resto do mundo podia muito bem vir abaixo.

A postura consciente de força e de superioridade de Helen jamais alcançou o que Cannon denominou "parte antiga" do cérebro. Suas vísceras mantêm o seu próprio padrão de resposta em termos de luta/fuga e ela se sente vitimada por um demônio contra o qual é impotente. Durante vinte anos, ela viveu com 900 calorias por dia (com alguns ataques de alimentação excessiva e alguns períodos de jejum), mas a balança continua incansavelmente "do lado errado do 90". Seu casamento sem filhos terminou em divórcio depois de cinco anos, quando ela se cansou de cuidar do marido dependente. Ela é sobremodo respeitada na profissão; apresenta uma persona autoconfiante, calma e feliz.

O padrão infantil de medo/raiva, contudo, governa a sua existência. Ela não consegue lidar com o mundo adulto. Todas as manhãs começam com uma descarga de adrenalina quando sobe na balança. Toda situação social que envolva comida envolve também o medo de perder o seu rígido autocontrole, o temor de ser rejeitada pelos homens e a raiva do silencioso desdém das mulheres magras. Sua dieta restrita tornou-a alérgica a ovos, requeijão, leite, café e chá. Ela tem um guarda-roupa com os tamanhos 50-54, pois nunca sabe de que tamanho estará na noite de uma festa.

> Olho-me no espelho, mas não me vejo como sou. Quando estou deprimida, vejo apenas a feiura maciça. Se estou contente, vejo-me escultural. Tenho um belo rosto e mãos agradáveis; o resto disfarço da melhor maneira possível.

Mas o corpo feminino esquecido se vinga:

> Às vezes tenho vontade de atacar as pessoas numa conversa. Sinto-me ultrajada. Quero pular, gritar, cantar ou dançar. Mas nada digo. Então, sinto o meu cinto se apertar e sei que ela está ali. A Coisa Preta. Meu corpo está inchando e tenho de ir imediatamente para casa. Nada posso fazer quanto a isso. Por vezes penso que já não posso tentar. Mas então percebo o que vai acontecer se eu não o fizer. Às vezes, apenas anseio por liberdade. Morrer, dormir e, pelo sono, dizer que terminamos com toda a sangrenta dor no coração.

O corpo de Helen repete padrões arcaicos. Seu medo e sua raiva a preparam fisicamente para o ataque e, como os impulsos não se tornam atos, as consequências patológicas são evidentes. Em termos físicos e psíquicos, ela está enfeitiçada.

A psicologia de uma mulher como Helen durante a infância e a adolescência é bem semelhante à da garota anoréxica, por mais diferentes que possam ser os sintomas físicos. Em ambas as patologias, as garotas são reprimidas, muito conformistas e demasiado desejosas de atenderem às expectativas dos pais e até de viverem a vida não vivida destes. Privadas da liberdade de viver a própria mocidade, elas terminam por se rebelar e tendem a se tornar obstinadas e arrogantes. Ambas desejam controlar e buscam esse controle por meio da negação da comida. A possessão toma conta delas na forma de fome e de alimentação em excesso, cíclicas. A anoréxica aprende a ganhar atenção e admiração por meio da perda de peso. Ela se alegra com sua própria força moral à medida que sente a pele se apegar aos ossos e se sente mais aceitável pela cultura. A adolescente obesa que faz dieta fica desencorajada, come demais e morre de fome sem ficar magra e aprende a se sentir como um feio e covarde fracasso aos olhos dos pais e dos companheiros. Ela vive, enquanto a irmã anoréxica pode morrer, mas vive sem esperança, minada por um profundo sentido da própria inferioridade moral e da derrota que por certo virá.

O desejo de morte que está no coração da obesa primária não deve ser subestimado. É o outro lado de um fortíssimo desejo de vida, de sexualidade, de toda a paixão dionisíaca para a qual seus corpos poderosos as capacitaram, mas que a vida nesta sociedade lhes negou. Seus excessos alimentares periódicos são uma expressão antiga do seu desafio à disciplina apolínea a que se submetem diariamente. É significativo o fato de dois dos casos primários de obesidade, mulheres que pareciam saudáveis e envolvidas por inteiro na vida à época do experimento, cinco anos atrás, terem vindo a morrer de câncer nos órgãos femininos. Em ambos os casos, a obesidade acompanhava a incapacidade de se relacionarem com a própria feminilidade. Ambas eram intuitivas, muito inteligentes e hipersensíveis. Retrospectivamente, seus comentários são sobremodo comoventes:

> Só sei que, quando tinha esperanças, eu ficava magra; quando estava desesperada, ficava gorda.
> Como, aumento de peso e deixo de sentir as tensões. Agora estou gorda, mas não estou contente. Vejo-me desejando outra vez o sofrimento da dieta, a agonia do espírito, porque naquele estado eu me sinto crescendo. Sinto-me culpada neste estado morto, gordo. Deve haver alguma maneira de ser magra e não sofrer a agonia do excesso de consciência. É doentio desejar que o sofrimento volte justamente para que eu possa me sentir viva.

Ambas foram vitimadas pela "Coisa Preta", pelo desespero, simbolizado, para elas, na gordura. O demônio desconhecido, que as possuiu por toda a vida em sua obesidade, terminou por mostrar sua verdadeira face no câncer que as acometeu.

Russell A. Lockhart, em "Cancer in Myth and Dream" [Câncer no mito e no sonho], escreve:

> Talvez não haja outra maneira de um indivíduo experimentar o significado mais profundo possível de "autônomo" além do

câncer, ao atacar, dominar e consumir a sua vida. Nele, o indivíduo é confrontado por um verdadeiro outro, um poderoso númen que ameaça a sua existência [...] Considero que certas formas de câncer se relacionam com alguma coisa que é parte da substância do próprio eu negado, subnutrido ou subjugado; alguma coisa da sua própria terra psíquica e corpórea a que não foi permitido viver, a que não se permitiu crescer. O câncer vive algo da vida não vivida.[47]

No mesmo artigo, ele cita Jung:

> Eu vi efetivamente casos em que o carcinoma desabrochou [...] quando a pessoa interrompeu alguma etapa essencial da sua individuação ou não conseguiu vencer um obstáculo. Por infelicidade, ninguém pode fazer isso em seu lugar, nem é possível forçá-lo. Deve ser iniciado um processo interior de crescimento e, se essa atividade criativa espontânea não for realizada pela própria natureza, o resultado só pode ser fatal [...] Em última análise, todos nós ficamos paralisados em algum momento, visto que todos somos mortais e permanecemos apenas uma parte daquilo que somos como um todo. A totalidade que podemos alcançar é muito relativa.[48]

Quando o corpo é visto como um obstáculo que não se pode superar e quando "a atividade criativa espontânea" é apartada da natureza, a psique é forçada a suportar um ônus inevitavelmente fatal.

ABORDAGENS CLÍNICAS DA OBESIDADE

O trabalho pioneiro de Cannon teve prosseguimento nas mãos de especialistas que descobriram a grande complexidade do equilíbrio homeostático. Em *Emotions and Bodily Changes* [Emoções e mudanças corporais], o Dr. Flanders Dunbar resume experiências clínicas e conclui:

> O sistema endócrino-hormonal foi identificado como o tradutor do ritmo do sistema nervoso para o ritmo metabolismo e vice-versa [...] Repetidas pesquisas provaram que a natureza quer que todas as emoções levem à atividade física imediata e que, quando isso não acontece, o sangue fica envenenado [...] Removida a causa que provocou esse estado de ansiedade, o caso pode ser tratado com sucesso pelo bacteriologista e pelo endocrinologista.[49]

Os pesquisadores tendem a concordar entre si quanto ao fato de que, embora a disfunção endócrina não cause a neurose nem a psicose, a disposição constitucional para elas pode ser por ela intensificada. O tratamento por meio da terapia endócrina apenas corta as sementes na superfície, sem erradicar as raízes. Quanto mais cedo se retirarem as raízes, tanto menor o perigo de um dano orgânico e mental permanente. O conflito prolongado causa uma perturbação persistente na secreção endócrina, podendo provocar mudanças patológicas secundárias nos órgãos. Apenas uma personalidade relativamente livre de conflito terá uma homeostase metabólica harmônica.

Muitas pesquisas se concentraram nos hábitos alimentares das obesas. Pesquisadores do College of Medicine de Vermont tentaram estudar a obesidade, em 1971, pedindo a estudantes voluntárias normais que comessem deliberadamente em excesso. Descobriram que essas estudantes dificilmente podiam ganhar 10% a mais de peso sem interromperem suas atividades usuais. Para dar continuidade às experiências, eles decidiram engajar voluntários da prisão estadual, visto que estes podiam ficar fisicamente inativos e, por isso, ganhar mais peso. A partir dessa pesquisa, ficou claro que ganhar peso não é somente uma questão de autodisciplina, mas antes "um problema profundo e, em geral, herdado, do controle fisiológico".[50] Como esses voluntários perderam todo o peso adicional com a mesma rapidez com que os obesos os obtêm outra vez, eles concluíram:

> O distúrbio herdável da obesidade pode ser esmagador no nível do Sistema Nervoso Central. Poderia ser um exagero desses mecanismos destinado a promover o armazenamento alimentar de energia que tinha para os nossos ancestrais remotos um valor de sobrevivência, mas que, numa forma exacerbada, torna-se um peso para nós numa sociedade opulenta como a nossa.[51]

Uma das mais decisivas descobertas desse estudo foi a de que "pessoas espontaneamente obesas necessitavam de menos da metade das calorias ingeridas pelos sujeitos da experiência para manter o estado obeso".[52]

O Dr. Richard Nisbett sugere, a partir de suas experiências, que muitas pessoas "com excesso de peso" que fazem dieta, numa tentativa de se conformarem às descrições ideais das companhias de seguro, ficam na realidade abaixo do seu peso e famintas o tempo inteiro. Ele mostra que uma espécie de lesão funcional do hipotálamo ventromedial ocorre num animal privado de comida por sete dias. Essa lesão produz um animal que come mais e com maior rapidez, é hipersensível ao estímulo alimentar, muito mais temeroso e dado à raiva do que o normal, inativo e hipossexual. Ele conclui: "Os paralelos com a fome e com o comportamento dos seres humanos obesos são demasiado pronunciados para serem coincidência".[53] Todavia, até agora o complexo conjunto de circuitos interconectados do cérebro que constitui o *"appestat"* [ponto de equilíbrio] ainda é um mistério.

Por mais inadequado que seja, esse sumário é suficiente para ilustrar a complexidade do problema e o volume de pesquisas dedicadas a ele. Tepperman prevê com confiança que dentro de poucos anos a obesidade será encarada como um sintoma, tal como a hipertensão ou a febre, e que será possível classificar pacientes obesos em várias categorias patológicas. "O fato mais impressionante acerca das obesidades experimentais é a sua variedade, isto é, o fato de os animais ficarem gordos por razões deveras diferentes entre si."[54]

O CONCEITO JUNGUIANO DE PSIQUE E CORPO

Ao passar do trabalho pioneiro de Cannon para o de C. G. Jung, descobre-se que, enquanto Cannon investigava as respostas fisiológicas involuntárias ao medo e à raiva, Jung trabalhava com as respostas psicológicas a emoções intensas no Experimento de Associação. Esses cientistas provavam a existência de dois sistemas no indivíduo – um voluntário e um autônomo. Jung, contudo, chegaria a certas conclusões que dão ao trabalho de Cannon um significado teleológico que ultrapassa não apenas a compreensão de Cannon dos fenômenos que investigava, como também a obra de Freud, cujo respeito por Jung data do importante trabalho deste com o Experimento de Associação.

Jung terminaria por concluir que os vários sintomas corporais eram mensagens da própria psique. Em consequência, era possível atribuir-lhes um significado simbólico, cuja chave era mais imediatamente acessível nas imagens oníricas. O sonho servia de intermediário entre o fisiológico e o psíquico, ligando-os entre si, da mesma maneira como as projeções que apontam para objetos externos se ligavam com símbolos que apontavam para o interior, para o *Self*. Segundo Jung, o poder de cura residia numa percepção consciente da natureza simbólica do sonho, que fornecia o significado psíquico dos sintomas corporais por meio dos quais o espírito lutava por comunicar sua condição e suas necessidades. O corpo, através das imagens oníricas, ligava-se ao espírito. Tomar consciência do corpo e de suas operações equivalia a tornar-se consciente do espírito. Portanto, o processo de individuação também poderia ser observado no corpo. Tendo isso em mente, deve-se compreender a obesidade em termos do símbolo. Nessa compreensão, reside o tratamento e a possibilidade de cura. Em seus trabalhos iniciais, Jung conseguiu perceber o forte tom emocional de um complexo, ao lado de determinadas reações físicas, mediante a observação das curvas feitas por um galvanômetro acoplado a um voluntário quando da resposta a um dado estímulo. Ao mesmo tempo, usava um pneumógrafo para estudar a curva respiratória. Ele descobriu que não parecia haver o mesmo relacionamento profundo entre a função respiratória e as emoções inconscientes que havia entre estas últimas e o sistema glandular do suor. Ele concluiu:

> Talvez as emoções do inconsciente, evocadas por perguntas ou palavras que atingem os complexos enterrados da alma, se revelem na curva galvanométrica, enquanto a curva pneumográfica, em termos comparativos, não é afetada. A respiração é um instrumento da consciência. Podemos controlá-la voluntariamente, o que não é possível com a curva galvanométrica.[55]

Tal como Cannon, Jung procurou explorar o poder que essas constelações, conscientes e inconscientes, podem ter sobre um indivíduo em função da força que exercem sobre as associações.

> O complexo rouba do ego a luz e a nutrição, da mesma maneira como um câncer rouba ao corpo a vitalidade. As sequelas do complexo são, resumidamente, as seguintes: diminuição de toda a energia psíquica, enfraquecimento da vontade, perda do interesse objetivo e do poder de concentração e de autocontrole e o surgimento de sintomas histéricos mórbidos. Esses resultados também podem manifestar-se nas associações.[56]

Jung reconheceu que o poder do complexo poderia ter resultados patológicos no corpo:

> É possível que a disposição para a afetividade da *dementia praecox* [esquizofrenia] traga certos distúrbios orgânicos irreparáveis, como, por exemplo, toxinas metabólicas.[57]

Ele enfatizou repetidas vezes que eram as emoções, e não o intelecto, que constituíam o principal fator da determinação dessas associações e que "todos os processos afetivos estão vinculados de modo mais ou menos claro com manifestações físicas".[58]

Se imaginarmos o mundo animal de fuga ou luta de Cannon explodindo em nossas vísceras, seja como reação direta ou como uma reação provocada por associação, podemos relacionar essas respostas violentas com os elementos afetivos do complexo segundo Jung. Ele definiu um "complexo" como

> um conjunto de ideias que, em consequência de [sua] autonomia, é relativamente independente do controle central da consciência, e, a todo momento, propenso a subjugar ou a perturbar as intenções do indivíduo.[59]

Quando sofre os efeitos de um complexo, o corpo se torna o nosso acesso mais imediato ao problema. Os sintomas, tais como os da descrição de Helen, em que a raiva ou o medo de repente faziam o corpo inchar, são produtos da intenção deliberada do inconsciente no sentido de perturbar a intenção consciente da pessoa. O "demônio" que ela experimenta, física e psiquicamente, na verdade a "possui", pois o complexo usurpa o poder do seu ego consciente.[60]

Quarenta anos de contínuas observações levaram Jung a uma compreensão muito mais profunda do relacionamento entre psique e soma. Falando de uma consciência secundariamente dissociada, ele indicou que ela não pode cruzar o limiar da consciência do ego porque "representa um componente da personalidade que não foi separado da consciência do ego por mero acidente, mas [...] deve a sua separação a causas definidas".[61] Uma das causas pode ser a repressão de material dissociado em função de sua natureza incompleta; outra pode ser o fato de o material dissociado jamais ter penetrado na consciência por não dispor esta de um modo de compreendê-lo. Não obstante, "como há em ambos os casos energia suficiente para torná-lo potencialmente consciente, o objeto secundário tem de fato um efeito sobre a consciência do ego".[62] Esse efeito tem como manifestação simbólica os sintomas. De modo geral, esses poderosos conteúdos reprimidos não são de fato reprimidos, mas, em vez disso, tal como os deuses dos primitivos, ainda não se tornaram conscientes.

Jung reconheceu que experimentamos o processo psíquico fora de sua relação com a matéria orgânica; mas, como psicólogo, ele se interessava pela totalidade dessas experiências. Ele denominou essa totalidade "psicoide".[63] Além disso, a concepção de Jung era a de que o inconsciente possui "consciência" própria, um segundo sistema psíquico que coexiste com a consciência.[64]

Os processos psíquicos que podemos observar e experimentar estão vinculados com o corpo e, por isso, devem partilhar de alguma parcela dos instintos ou ser o resultado das ações destes. Usando expressões de Pierre Janet, Jung conclui:

> A base instintiva governa a *partie inférieure* da função [o organismo], ao passo que a *partie supérieure* corresponde ao seu componente predominantemente "psíquico". A *partie inférieure* mostra ser a parte relativamente inalterável e automática da função, e a *partie supérieure*, a parte voluntária e alterável.[65]

O aspecto fisiológico, a *partie inférieure*, parece estar vinculada com os hormônios; sua função é compulsiva por natureza, sendo chamado, por conseguinte, de "impulso". O aspecto psíquico, a *partie supérieure*, perdeu seu caráter compulsivo, podendo ser submetido à vontade e até aplicado contra o instinto.

Na esfera psíquica, a força vital pode ser libertada da sua forma compulsiva instintiva na base e, no topo, energizada por outros determinantes, termina por cessar "de ser orientada pelo instinto no sentido original, atingindo uma forma, por assim dizer, "espiritual".[66] A força motriz do instinto não sofre alterações substanciais, mas sua maneira de aplicação o sofre, visto poder estar mascarando um sentido de direção diverso do biológico.

Pode-se observar esse processo, por exemplo, no jejum espiritual, no qual a recusa da comida é acompanhada por disciplinas espirituais. Sem motivação espiritual, a pessoa que jejua sofrerá quase com certeza de intensa ansiedade física e psíquica.

Mas se o jejum for reconhecido como um rito de purificação e reforçado com alimento espiritual, o corpo e o espírito se unirão num novo nível de integração interior. Surge uma aberração do jejum na garota anoréxica que se empenha com determinação no vômito ritual em vez de desistir da "elevação" por ela experimentada por meio da inanição. Sem o alimento espiritual, contudo, o corpo e o espírito ficam perigosamente separados.

A força vital é motivada, em última análise, pelo instinto; de acordo com Jung, a vontade "não pode coagir o instinto, nem tem poder sobre o espírito [...] O espírito e o instinto são, por natureza, autônomos e limitam na mesma medida o campo de aplicação da vontade".[67] A partir desse ponto de vista,

> psique é essencialmente conflito entre instinto cego e vontade [...] Quando o instinto predomina, instalam-se processos *psicoides* pertencentes à esfera do inconsciente como elementos incapazes de consciência.[68]

O Sonho da Serpente de Katherine

O sonho de Katherine (48 anos, 1,77 m, 83 kg), que fazia análise à época do experimento, ilustrará a validade dos conceitos de Jung.

Katherine fora muito bem-sucedida em sua carreira profissional, mas aos poucos foi sendo prejudicada por um edema cíclico para o qual o único remédio era o sono. Esse sintoma é definido como "episódios recorrentes de inchação do corpo inteiro com retenção de líquidos em períodos de estresse".[69] Na superfície, o edema é semelhante à obesidade.

O sonho foi:

> Sou a sacerdotisa de um templo. Um festival está prestes a se realizar. Perto do teto, na parede posterior, as pedras formam um espaço vazio com o formato de uma cruz. No altar, estou arrumando rosas – rosas brancas e cor-de-rosa –, de modo que formem uma cruz no ponto exato em que o sol, cujo brilho penetra pela parede, vai iluminá-las. Tudo está pronto, menos as rosas do centro. Começam a chegar pessoas; esperamos o sacerdote que vai iniciar os ritos.
>
> Um velho homem toma a minha mão e me faz descer velhos degraus de pedra cobertos de musgo. Não conheço esse lugar. Está muito escuro, mas posso distinguir uma gruta e água, bem como uma enorme cobra, negra como azeviche, de seis metros, ao lado de uma roda-d'água [Figura 1]. Ela agita a cabeça, para frente e para trás, num movimento rítmico que deveria estar atingindo os raios para fazer a roda girar. Mas a criatura está em agonia, golpeando sem direção nas trevas; ela sabe que não está atingindo a roda. O velho homem diz: "Ela fornece energia ao templo". Tento mover a roda na direção da cobra, mas o velho homem me puxa para trás e eu percebo que a cobra é bem perigosa.
>
> Sinto-me culpada, porque manter o templo em perfeita ordem parece ser a minha obrigação de sacerdotisa. Esse problema está fora do meu alcance. Os ritos devem ser adiados

porque as orações não podem atingir o céu enquanto a roda não voltar a girar. O velho homem me observa em silêncio.

Foi esse o sonho de uma mulher bem organizada, extrovertida e altamente intuitiva, bem adaptada aos valores religiosos coletivos, mas dotada de um profundo sentido de compromisso pessoal. No sonho, ela é responsável pelo cuidado do templo, o recinto sagrado, que pode ser interpretado em termos fisiológicos como o seu corpo. Na *partie supérieure*, tudo parece estar pronto para uma epifania. A luz da consciência brilha numa formação em cruz num cruzamento de opostos – rosas brancas e cor-de-rosa, as flores de Afrodite, símbolo da paixão física, e da Virgem Maria, símbolo da paixão espiritual.

A mandala do altar não pode ser completada em sua totalidade porque, embora tudo pareça em ordem, em termos pessoais e coletivos, há um sério problema sob a superfície. A poderosa energia da Kundalini está apartada do transformador que faz circular a energia no templo. Ela reprimiu os instintos ou jamais tomou consciência deles.

As fundações do templo são feitas de pedra mas cobertas de musgo por falta de uso. A profundidade da gruta e o completo desconhecimento de sua existência por parte da sonhadora sugerem que esta herdou a poderosa energia instintiva, mas que o deus ainda não se tornou parte da consciência. O deus-serpente tem consciência própria, pois sabe que deve ser conectado à roda; seus esforços inúteis o fazem contorcer-se em agonia. Crescendo nas trevas, ele atingiu um tamanho impressionante, havendo a

Figura 1. A serpente perto da roda-d'água.
(Original colorido, pintado pela sonhadora)

possibilidade de mercurial mostrar-se muito perigoso para um noviço. Mas o velho sábio, que representa um aspecto do *Self*, a conduziu a essa gruta porque deseja que ela seja inteira. Ele a protege quando ela, ingenuamente (usando a lógica do mundo superior), tenta empurrar a roda até a cobra. A serpente curadora da gruta pode ser amplificada da antiga Epidauro à moderna Lourdes.

O próprio sintoma estava inundando seu corpo de água. No início dos 20 anos, ela perdera quase 50 quilos graças à força de vontade e à dança, tendo além disso organizado a vida de tal maneira que exigia constantemente sua própria energia, em termos físicos e mentais. A síndrome edêmica aumentava aos poucos de gravidade. Parece que, embora fosse capaz de vencer seu problema de peso por um ato de vontade e controlar a própria vida por meio da dieta rígida e da atividade organizada, ela agora tinha de encarar o fato de a sua vontade não poder coagir seu instinto nem ter poder sobre o seu espírito. (As orações só podiam alcançar o céu quando a roda estivesse girando.) O inconsciente manifesta-se em seu corpo físico na forma de água, forçando-a a retornar a ele no sono. As lágrimas que não podia verter de dia, ela as chorava em sonhos.

O *Self* estava usando o seu corpo para forçá-la a reconhecer que seu dique interior tinha de ser retirado. O modo de vida demasiado disciplinado, demasiado lógico, represado, tinha de ceder lugar a um fluxo mais feminino, que só poderia ser regulado quando a roda da vida fosse adequadamente vinculada com sua própria fonte de energia. A serpente Kundalini estava presa no *swadhistana chakra* (o chakra dos rins); seus sentimentos estavam bloqueados, sendo a carência renal o sintoma físico.

A força motriz da serpente parecia ser biológica e, nesse nível, o era, visto que ela tinha de cuidar do seu corpo enfermo; seu sentido real de direção, todavia, voltava-se para o sol, o *sahasrara crown chakra*, pois a integridade do templo e a eficácia das orações dependiam dessa totalidade. A mandala não podia ser completada sem esse vínculo. Até submeter-se à análise, ela se sentia à mercê de um demônio. O processo psicoide, como mensageiro do espírito, a obrigou a ouvir o seu próprio Ser. (O desenvolvimento subsequente de Katherine pode ser visto em seu sonho da Serpente Coroada, Capítulo V.)

O sonho também mostra a afinidade do arquétipo com o instinto, muito embora sejam opostos polares. "Os processos psíquicos" – escreveu Jung – "parecem ser quantidades de energia que fluem entre o espírito e o instinto."[70] Usando o símile do espectro, ele prossegue:

> O dinamismo do instinto se aloja, por assim dizer, na parte infravermelha do espectro, enquanto a imagem instintiva se encontra na parte ultravioleta [...] O arquétipo é descrito de maneira mais precisa pelo violeta, visto que, sendo por direito uma imagem, ele tem ao mesmo tempo um *dinamismo* que se faz sentir na numinosidade e no poder fascinante da imagem arquetípica. A realização e a assimilação do instinto jamais

ocorrem na extremidade vermelha, isto é, pela absorção na esfera instintiva, mas somente por meio da integração da imagem – que representa e, a um só tempo, evoca o instinto – se bem que numa forma deveras diferente daquela com que deparamos no nível biológico.[71]

Ele acentuou que o arquétipo não deve ser confundido com a imagem arquetípica. "O arquétipo como tal é um fator psicoide pertencente, por assim dizer, à extremidade invisível, ultravioleta, do espectro psíquico."[72]

> É não apenas possível, mas até provável que psique e matéria sejam dois aspectos diferentes de uma mesma coisa [...] Assim como o "infravermelho psíquico" – a psique instintiva biológica – passa gradualmente para a fisiologia do organismo e, desse modo, entra em fusão com as condições químicas e físicas deste, assim também o "ultravioleta psíquico" – o arquétipo – descreve um campo que não exibe nenhuma das peculiaridades do fisiológico e, no entanto, em última análise, já não pode ser considerado psíquico, embora se manifeste de modo psíquico.[73]

É quase impossível explicar o arquétipo psicoide (Figura 2) por ser ele, essencialmente, um mistério; mas sua numinosidade pode ser experimentada por meio do corpo e da psique. Seu poder de cura pode irradiar-se na pessoa que o reverencia como uma qualidade visível e luminosa que parece ter raízes fincadas em alguma calma divina.

Figura 2. O arquétipo psicoide.

INSTINTOS		ARQUÉTIPOS
Infravermelho	—————— experiência ——————	Ultravioleta

(Fisiológico: sintomas corporais, percepções instintivas etc.)

(Psicológico: ideias, conceitos, sonhos, imagens, fantasias etc.)

Toda mulher que se leve a sério deve aceitar a responsabilidade de conhecer e de amar o próprio corpo. Essa é a tarefa mais difícil para a mulher obesa, em especial se o corpo tiver sido o seu inimigo a vida inteira. No seu nível mais profundo, ela sente que o traiu ou que ele a traiu. Aquilo que ela vê no espelho é uma paródia de si mesma. Se ela preferir ignorá-lo, a Magna Mater se vingará de maneira mais violenta. Se tentar encará-lo, ela poderá eventualmente ver a sua própria sombra, tornar-se consciente daquilo que se encontra em seu próprio inconsciente e, então, assumir uma posição egoica forte o bastante para reagir psicologicamente às dificuldades do seu ambiente. Somente quando ela puder reconhecer de modo consciente suas emoções e começar a lidar com a vida de frente, suas reações cessarão de se manifestar em forma física como sintomas.

Algum conhecimento da pesquisa científica hoje disponível pode encorajá-la. É certo que alguma percepção da complexidade das reações bioquímicas que ocorrem em seu corpo, como resposta às suas próprias emoções, conscientes e inconscientes, a levará a uma apreciação dessa magnífica criação. Ela poderá aprender a ouvir a sabedoria do corpo. Trata-se do seu corpo. Trata-se do seu mais importante dom, impregnado de informações que ela se recusou a reconhecer, a tristeza de que ela se esqueceu e a alegria que ela jamais conheceu. Se puder amar a sua própria *massa confusa* e dedicar-se ao seu mistério, ela poderá um dia ver-se sorrindo do espelho. Ela até poderá passar a confiar na voz que pergunta, calmamente: "Não sabeis que o nosso corpo é o templo do Espírito Santo, que habita em vós, proveniente de Deus, e que não sois de vós mesmos?" (1 Coríntios 6:19).

Capítulo III

Três Casos de Estudo

> [...] *I have heard the key*
> *Turn in the door once and turn once only*
> *We think of the key, each in his prison*
> *Thinking of the key, each confirms a prison*
> *Only at nightfall* [...]
>   – T. S. Elliot, "The Waste Land"

> [(...) Ouvi a chave
> Girar na porta e girar uma só vez
> Pensamos na chave, cada qual na sua prisão
> Pensando na chave, cada qual confirma
> uma prisão
> Apenas ao cair da noite (...)]

O estudo mais profundo de três casos pode ajudar a esclarecer a relação entre os complexos e o relacionamento entre corpo e psique, discutidos em termos gerais nos dois primeiros capítulos. Enquanto era feita a coleta de material para este estudo, ficou claro para mim que a distância entre a obesidade e a anorexia nervosa é pouco maior do que uma tênue linha e, especialmente numa mulher jovem, uma linha a ser reconhecida e respeitada. De fato, nos sonhos, a sombra de uma mulher obesa pode aparecer como uma garota anoréxica e vice-versa.

Duas jovens analisadas – uma com excesso de peso e a outra anoréxica – tiveram a generosidade de compartilhar suas fantasias e experiências comigo. O terceiro caso é uma análise adicional do material da mulher edêmica cujo sonho da serpente foi apresentado no Capítulo II. Incluo o seu material porque ele mostra o modo pelo qual um sintoma substitui outro se a causa original não for removida, ilustrando de maneira cristalina a natureza psicoide do arquétipo.

MARGARET (24 ANOS, 1,65 M, 94 QUILOS)

A aparência de Margaret revelava a ambivalência que inúmeras mulheres obesas emitem inconscientemente. Seu corpo era desajeitado, descoordenado, recoberto por um vestido pesado; suas mãos eram ativas, tinham um belo formato e eram mais expressivas quando ela falava. Sua pele causaria inveja a qualquer mulher; seus olhos dançavam com risos e lágrimas. Ela respirava o dragão flamejante numa narina e a Mãe Abençoada na outra. Disse tudo o que pôde o mais rápido possível, com um ar dramático e com boa quantidade de lisonja. Num instante, ela poderia transformar-se de uma bruxa shakespeariana numa mulher potencialmente bela. Apesar dos 24 anos, parecia ter 17. Equilibrava-se precariamente na corda bamba dos opostos que se achavam tão separados entre si no seu interior; alegria/

tristeza; espiritualidade/sexualidade; Deus/Diabo; poder/inferioridade; senso estético/sexualidade grosseira.

Criada numa família de oito filhos, era a garota do meio. Conhecera a privação quando criança porque seu pai, "um honesto homem trabalhador", bebia demais. Sua mãe, determinada a fazer o melhor pelos filhos, cuidava da casa e, por meio de suas sorrateiras observações, jogava a sua irmã contra o pai. Margaret cresceu acreditando que a mãe era uma dama, sempre imaculada e limpa no cuidado da casa, "uma bela alma cristã". Só mais tarde veio a perceber que "Mamãe fingia amar, mas não amava de fato. Agia com delicadeza, mas não havia espontaneidade na sua resposta". Tanto a mãe como a avó tinham tido esgotamento nervoso depois do parto de alguns filhos, um fato que assustava Margaret. Toda a vida não vivida da mãe concentrou-se nela, por ser ela uma criança muito boa, muito bonita, muito inteligente. Dando-lhe a melhor educação possível numa escola católica administrada por freiras rigorosas, a mãe esperava que ela conseguisse um bom emprego e um bom casamento.

Ela veio fazer análise porque não conseguia manter uma dieta. Não havia antecedentes de obesidade na família, nem seus parentes eram gordos. Fora uma esguia e sensível menina. Seu ciclo menstrual só se iniciou aos 17 anos, época em que ela começou a comer escondido. Tendo ganhado 15 quilos, fez dieta e os períodos menstruais se interromperam. "Não sei se eu não podia comer ou se não comia. Ficava doente ao pensar em sexo." Tendo recebido cuidados médicos num hospital, houve a volta da menstruação, assim como do aumento de peso. "Eu pensava constantemente em comida. Não conseguia me controlar, embora me sentisse culpada por comer qualquer coisa. Quando fiquei gorda, passava a maior parte do tempo na cama, só saindo para procurar comida." Terminou por sair de casa, mas teve enormes dificuldades em conseguir um emprego bom o bastante. "Eu estava tão assustada que comia sempre que as coisas corriam mal. Elas sempre corriam mal. Eu não podia suportar os homens. Assim que sentia que gostavam de mim, virava-me contra eles."

Várias características da obesidade e da anorexia estão claras: a identificação precoce com a mãe, as esperanças irrealistas dos pais colocadas nos ombros da criança, a atitude infantil diante da sexualidade, o problema alimentar coincidindo com o início da menstruação. Incapaz de discriminar entre as projeções e a realidade exterior, sua imaginação infantil alimentava-se de ilusões.

Depois de três semanas de análise, ela começou a perder peso. Narrou duas fantasias repetitivas: ela se mataria caso ficasse mais gorda; temia tornar-se uma prostituta. "Isso me serviria bem", disse ela. "Sei por que desejo ser magra." O complexo da madona/prostituta vinculava-se tanto com o complexo sexual como com o alimentar. Ela desejava ser como a Virgem Maria (como a sua mãe esperava), mas em seu caminho para a igreja costumava ser tocaiada por várias barras de chocolate. Essas barras em geral se tornavam um excesso alimentar. Seu diálogo interior era mais ou menos assim:

Virgem Margaret: Eu queria ser plena de beleza, de luz, de amor. Amor – ARRE! Odeio os homens. Se for gorda, eles não vão me tocar. Também detesto os padres. Eles são homens por debaixo do hábito. Não quero Missas.

Porca Margaret: Claro que não. Esses jovens padres são todos uns hipócritas. Quero chocolate. Quero ser amada. Odeio-os a todos. Quero açúcar bastante para cair no sono, para escapar de toda essa confusão insuportável.

Seu tênue ego mal conseguia equilibrar-se entre "o terrível júbilo da presença de Deus" e a depressão esmagadora que vinha quando Deus a maldizia. Sua fé tornou-se antes um empecilho do que um ponto de orientação para o seu ego em processo de dissolução. Numa tentativa de compensar seu crescente sentimento de inferioridade quando se via inundada por material inconsciente, ela fazia barganhas com Deus para que ele a ajudasse. Quando não perdia peso, recusava-se a ajoelhar-se diante de um tirano tão cruel. Nunca lhe ocorreu que devesse obedecer às leis da natureza. Quando o inconsciente ficava hostil, ela vinha para a análise com um rosto lívido e inexpressivo. "Não estou aqui", dizia. "É A Coisa que está." Seu amor pela Virgem era o seu único consolo real e até isso foi contaminado pelo pensamento de freiras rígidas "que provavelmente cortaram os seios e os cabelos".

Ao perder alguns quilos, ficava tão feliz que ia comprar roupas. Imaginava-se esguia e tentava se apertar num tamanho 48 quando de fato usava 52. Sua imagem mental do próprio corpo nada tinha a ver com os fatos. Quando não conseguia entrar na roupa, ficava possuída pela raiva e comprava comida para beliscar. Isso significava ir sozinha para o apartamento onde morava, fechar a porta, não atender o telefone e comer da noite de sexta à manhã de domingo, devorando cereais, açúcar mascavo, cremes e bolos roubados "porque preciso deles":

> Não estou em mim quando como. Como à maneira de um animal, sem usar pratos apropriados. No início, aprecio a comida. Então começa a vir a Escuridão. Sinto Escuridão em toda a minha volta. Então fico assustada e a Escuridão está bem atrás de mim. É a Morte. Percebo que estou lutando pela própria vida. Não me importo se vivo ou não. Alguma coisa se apossa de mim. Não consigo pensar. Não consigo sentir. Não consigo rezar. Se ao menos pudesse ficar livre!

Saindo desse inferno, emergia na manhã de segunda-feira e trabalhava até sexta-feira, comendo compulsivamente à noite.

Para uma garota como Margaret, o analista deve estar pronto a carregar a projeção do *Self*, pois ela não se relaciona com o seu próprio núcleo interior. Ela tenta encontrar os seus próprios valores, seus próprios sentimentos, confiando no amor do analista. Está faminta de um amor que jamais conheceu, um amor que a possa aceitar "em toda a sua podridão". Mas também está ávida de uma vida que nunca conheceu, podendo essa fome manifestar-se na posse e no ciúme extremos. Marie-Louise von Franz fala dessa qualidade ao amplificar o simbolismo do lobo:

> Nos sonhos das mulheres dos nossos dias, o lobo com frequência representa o *animus*, ou aquela estranha atitude devoradora que as mulheres podem ter quando possuídas pelo

animus [...] o lobo representa aquele estranho desejo indiscriminado de devorar tudo e todos [...] que é visível em muitas neuroses em que o principal problema é o fato de a pessoa permanecer infantil devido a uma infância infeliz [...] Não é bem que *elas* queiram isso; isso as quer. O seu "isso" é insaciável, razão por que o lobo também cria nessas pessoas uma insatisfação constante e ressentida [...] O lobo é denominado *lykos*, luz. A avidez, quando dominada ou dirigida para o seu alvo correto, é *a* coisa.[74]

Essa energia arcaica aprisionada é revelada num dos sonhos de Margaret com animais:

> Há quatro leões numa jaula – um macho, uma fêmea e dois filhotes. Eu estava assustada, mas minha irmã mais velha me acompanhava e eu me senti segura. Eu não queria demonstrar o meu medo. Um dos leões se aproximou para me tocar e eu gritei-lhe que o mantivesse longe de mim. Ela riu e disse que eles eram bastante inofensivos.

Os leões são animais poderosos e luxuriosos, mas a irmã-sombra é capaz de reconhecer que o poder é inofensivo porque, na vida, ela consegue amar sem vontade de poder. O potencial está nesse amor e nos dois filhotes, pois o leão é também um símbolo de poder espiritual.

Infeliz com seu progresso gradual, que ela só pode conceber em termos de perda de peso, Margaret começou a tomar anfetaminas prescritas pelo médico. Ficou imediatamente eufórica, com a energia e a esperança artificiais. Em dois meses, perdeu mais de 12 quilos, alterando o sintoma, mas não a enfermidade. Com sua beleza emergente, ficou óbvio o problema do seu fraco ego feminino e do seu temor dos homens. Ela estivera tentando relacionar-se com o próprio corpo por meio do espelho, do exercício e da dança, mas o sentimento feminino mal começara a formar um botão. Ela ansiava por um namorado, mas ficava hostil quando os homens a tocavam. Depois se arrependia, mas sentia que eles tinham recebido o que mereciam. "Não posso evitá-lo. É assim que eu sou. Pelo menos posso admitir. Sei que é ruim, mas não me sinto culpada." Seu problema se tornara: "Se ficar magra, o que terei ganho? Sou um vulcão prestes a explodir. Estou fora de mim". Também seus sonhos estavam cheios de tempestades e de fogo, apresentando-a presa às rodas de um potente carro que se dirigia a penhascos. Embora percebesse os efeitos das anfetaminas, recusou-se a parar de tomá-las.

Começaram então os pesadelos. O sonho seguinte revela a sombra anoréxica de Margaret:

> Eu estava na cama com minha irmã mais velha quando ouvi passos na escada. Acendemos a luz e vimos alguém subir correndo as escadas. Era uma mulher extremamente alta e anormalmente magra. Seu rosto era comprido e seus dois olhos, imensos no rosto, brilhavam como olhos de gato. Ela era bem assustadora. De um lado, parecia um animal selvagem e, do outro, um ser estranho, não terreno. Fiquei aterrorizada com ela e quis matá-la, mas temi que ela fosse demasiado forte para mim. Minha irmã a prendeu atrás de uma porta. Ela jamais

emitiu um som — apenas ajoelhou-se ali com um olhar de assombro, como um animal numa armadilha. Acordei suando e tremendo de medo.

No sonho, seu corpo em inanição e seu feminino ameaçado estão olhando para ela bem no olho. Seu medo da privação do amor e da comida a está assombrando e, embora deseje matá-lo, ela teme que ele seja forte demais para ela. As anfetaminas a estavam levando a um ponto de ruptura, porque ela não estava preparada para assumir o papel feminino maduro; as extremidades do conflito se intensificavam na falta de comida e pelo efeito da droga. Ela ficou "possessa". Planejava ir a uma festa, comprava uma roupa, fazia o cabelo e ia no dia errado. Outras vezes, comia em excesso no dia anterior, de modo que o corpo ficava maior do que a roupa. As imagens parentais negativas não lhe permitiam ter alegria nem sair para a vida. A coisa se tornou um ciclo de agressão rebelde seguida de uma depressão sem esperança.

Por fim, um sonho sugeriu que Deus a amaldiçoara com algum propósito e que ela talvez devesse lidar com isso de maneira natural. Ela parou de tomar a droga. Ganhou de imediato vários quilos. O relacionamento entre poder e peso fica claro em seus comentários da época:

> Veja só o que você me fez fazer. Ainda assim, fico feliz nesses furores. Veja as coisas de uma maneira especial. Amo-os em sua feiura. Amo o meu enorme eu poderoso. O mundo não pode me dizer o que fazer. Não preciso de você nem de ninguém para me ajudar. Vejo de fato a possiblidade de sair do

mal de modo positivo, porque, nessa disposição, sou muito mais forte, muito mais criativa, muito mais ativa. Disse-lhe que parasse e, após uma longa luta, ele o fez, mas matou algo dentro de mim. Eu não queria mais viver. Desisti. Melhor tê-lo rondando por ali do que morto. Ao menos estou viva quando estou comendo.

A atitude perfeccionista consciente de Margaret era compensada pelo seu sentimento inconsciente de inferioridade, que se vingava com a avidez e com o anseio de poder. Sua identificação com a beleza, com a bondade e com a luz levava a insuportáveis confrontos com a realidade e com mais excessos alimentares e depressões. Ao ser dirigida para a sua própria Escuridão, ela era obrigada a lidar com a sua própria terra, que dizia que ela não era onipotente, nem perfeita, mas um ser humano que devia aceitar as próprias limitações e imperfeições. Assim, o sintoma a forçava a lidar com a realidade que ela desprezava. A natureza trabalhava numa compensação direta: quanto mais infladas as suas fantasias, tanto mais negra a sua Escuridão. Enquanto se dirigisse com revolta ao Deus injusto e enquanto rejeitasse desafiadoramente a natureza, ela seria dirigida pelo seu *animus* sombrio e forçada a alimentá-lo.

Depois de exatos nove meses de análise, Margaret foi à Missa do Galo na véspera de Natal – sozinha, sem família, sem amigos. Ela assim o preferira porque estava gorda, com medo e envergonhada. O buraco que ela fizera para si mesma a deixava aterrorizada. Pela primeira vez, ela experimentou um sofrimento real. "Perdi toda a minha vida, sonhando com a grande pessoa que a minha mãe desejava que eu fosse. Minha vida inteira é uma mentira." Essa descoberta a forçou a fincar os pés na terra e a assumir a responsabilidade pela sua própria vida.

Em termos clínicos, os componentes da psicologia de Margaret relevantes para este estudo parecem ser um *animus* negativo dirigido para o poder, uma persona assustada, um ego feminino fraco ameaçado por poderosos opostos, uma emocionalidade patológica e uma imaturidade narcisista. Como não tivera um pai forte nem uma mãe feminina, seu modelo de masculinidade era o *animus* da mãe. Sem um autêntico princípio masculino e privada de seu instinto feminino, ela não dispunha de uma voz interior que lhe dissesse para cuidar do seu corpo e parar de comer em excesso.

Sem quase nenhuma experiência de Eros, ela desenvolvera muito pouco a capacidade de se relacionar e, por isso, quando o vazio dos seus sentimentos se abria, seu *animus* implacável pedia comida. Incapaz de se relacionar com ele física ou psiquicamente, ela lhe dava o único alimento de amor que compreendia – cereais e doces. Estes a energizavam até que ela voltasse a ver a realidade no espelho; então, ela se refugiava em fantasias – fantasias sobre o que o amor e os homens deveriam ser, fantasias de adolescente. Esse mundo fantástico lhe permitia evitar qualquer conflito e sentimento genuíno, deixando-a alimentar visões megalomaníacas de si mesma como pessoa poderosa, rica, bem-educada, indispensável à vida de outras pessoas, compensando assim sua atitude consciente de ser impotente, feia e solitária. A agressão que sentia com relação a um Deus que a pusera nesse estado, ela voltou contra si mesma. O alimento espiritual pelo qual ansiava com tanto desespero fora profanado por uma ingestão igualmente desesperada de comida. Sem contar com a defesa de um *animus* espiritual, ela se sentia sob o encantamento de um demônio que ameaçava atraí-la para a morte.

O deslocamento do complexo sexual para a comida começou na puberdade. Aos 19 anos, a sombra, "esguia e suja prostituta", entrincheirou-se com firmeza contra a persona, "gorda e pura madona"; o *animus* negativo queria ambas como noiva. Sua sensação inferior, introvertida, permitiu-se cair numa dissociação entre corpo e espírito. Seu corpo inconsciente tornou-se a sua sombra odiada, para a qual ela não podia olhar vestida nem desnuda. Hilde Bruch, em *Eating Disorders* [Desordens alimentares], afirma:

> A falta de força de vontade [da obesa] está relacionada com a incapacidade de perceber as necessidades corporais. As pessoas gordas tendem a falar sobre o corpo como se de algo externo a si mesmas. Elas não se sentem identificadas com essa coisa incômoda e feia que estão condenadas a carregar pela vida afora e na qual sentem-se confinadas ou aprisionadas.[75]

Quando perdeu peso pela primeira vez, Margaret ficava tocando o próprio corpo como se quisesse ter a certeza de que ela estava ali. Era surpreendente o fato de que, embora fosse pequena até os 17 anos, sua imagem fosse grande. Estaria o seu corpo refletindo as suas infladas fantasias? Ou as fantasias eram tão infladas que o corpo tinha de mantê-la na terra? Seu corpo foi por certo aquilo que a obrigou a manter-se no real.

Seus sonhos repetitivos com gatos, cães negros e homens sombrios sugeriam que seus sintomas tinham origem sexual, podendo estar relacionados com uma linha matriarcal de problemas de parto em sua família, bem como a rejeição de sua prostituta pela madona. Discutindo a histeria, Jung escreveu: "A paciente anseia sem dúvida pelo Homem [...] O medo do futuro sexual e de todas as suas consequências é demasiado grande para que ela decida abandonar sua enfermidade".[76]

A combinação de três complexos dinâmicos – religião, sexualidade e comida – criou a sua própria autonomia anormal em Margaret. Tem-se a impressão de que a energia dos complexos religioso e sexual, ambos carregados por intensos tons emocionais, fora deslocada para a comida. Seu medo de ser levada para a Escuridão vinculava-se com o seu ego fraco e com o seu medo da aniquilação, um medo relacionado tanto com a morte como com a relação sexual. O poder desses três complexos constelou aquilo que Jung poderia denominar "uma nova personalidade mórbida",[77] que se movia na direção do engordar. Essa segunda personalidade ameaçava devorar o ego e forçá-lo a ter um papel secundário. Somente quando o *lykos*, a luz, é dirigido para o seu alvo correto pode a avidez do lobo ser transformada na energia criativa necessária para dissipar a Escuridão.

O que o sintoma de Margaret simboliza? Num nível, sua gordura a protege dos homens. Seu *animus* negativo a afasta do mundo, pondo-a num casulo. Embora uma parte dela anseie, como é natural, por um amor, a outra parte, que conhece muito bem o poder aniquilador do seu *animus* negativo, teme a agressão masculina. Como sua relação com o masculino ocorria por meio do *animus* da mãe, com todas as suas ambições e ilusões, ela não tem uma voz masculina forte que traga ordem à sua vida, que diga NÃO aos excessos alimentares; em vez disso, sua voz masculina é insaciável em suas exigências. A criança feminina interior precisa do corpo gordo para proteger-se de todo homem feito, bem como da responsabilidade do sentimento feminino maduro.

Noutro nível, seu porte reflete a sua inflação, um balão cheio de fantasias acerca de suas próprias possibilidades, de sua inteligência, de sua beleza, de sua indispensabilidade; ele mascara a realidade do seu fracasso, do seu medo e de sua culpa. Era um muro de isolamento contra um mundo em que ela nem entende nem é entendida.

Como sintoma de cura, seu corpo gordo, agindo como mensageiro do espírito, força-a à totalidade. Ela saiu das suas fantasias e olha a realidade no espelho. Ali, ela poderá ver a verdade por trás dos seus impulsos animais por comida e poderá aprender a conhecer a sua própria natureza feminina, onde esses impulsos serão transformados numa busca humana de amor e numa busca espiritual de serenidade. Em vez de combater cegamente a sua prostituta e de ficar gorda, ela pode relaxar no feminino e libertar sua verdadeira madona.

ANNE (22 ANOS, 1,68 M, 66 QUILOS)

Anne foi a mais velha de duas irmãs, filhas de um próspero homem de negócios e de uma professora. O pai viajava durante a semana, mas quando retornava a vida sempre era uma festa. Ele passava com a filha momentos maravilhosos:

Eu era a sua filha favorita. Mamãe diz que sou como ele em minha inteligência, em meu senso de humor e em minha mesquinharia. Minha avó não tolerava o amor do meu pai por mim. Ele fora o seu bebê. Ele sempre quisera fugir dela e da sociedade. Ele nos deixou quando eu tinha 5 anos. Hoje ele está num hospital por causa do alcoolismo.

Desde o início, ela foi uma criança cheia de imaginação, altamente criativa e inteligente que se recusou a viver como a vizinhança e a brincar com brinquedos estúpidos e caros.

Eu preferia jogos difíceis como o dos refugiados ou Anne Frank. Nas noites de domingo, eu pedia para comer feijões frios enlatados. Sempre sentia que havia uma conspiração para me ocultar minha verdadeira identidade. Eu acreditava que meu verdadeiro pai era um imperador que me permitira viver esta vida como experiência. Ele me observava para ver a dignidade com que eu aceitava a punição vinda daqueles peões. Eles eram os seus servos. Por vezes, ele se misturava com Deus. Eu cheguei a suspeitar de que, atrás de cada espelho, algo me observava. Mundos por trás dos mundos. As coisas não são o que parecem.

Preocupava-me em ser boa, mas era tão cheia de energia, tão curiosa e tão cheia de ideias que parecia rebelde. O professor me prendia na carteira na escola. Eu escrevia peças para os garotos da vizinhança e minha irmã sempre atuava nelas até mais ou menos 8 anos. Nessa época, ela se rebelou contra mim. Ela nunca foi espancada. Eu era tão espancada que minha mãe pensou que ela me mataria. "Coma essa comidinha que eu preparei para você", dizia. "Não", eu respondia. Ela me tratava com dureza; dizia que eu tinha de aprender os fatos da vida. Falava que eu era tão esquentada que só a minha família poderia me amar.

Anne teve peso normal até os 17 anos; não teve problemas alimentares nem menstruais. Ela detestava o padrasto. Era a primeira da classe, mas começou a perceber que era socialmente imatura em comparação com os companheiros.

Até os 16 anos, o mundo me parecia apresentar possibilidades infinitas. Então, perdi a minha vontade. Aos 17, sentia-me perdida. Fiquei ansiosa por atingir a maturidade. Queria que as coisas corressem bem e por isso tentava ser obediente, mas sempre tinha problemas com a autoridade. Tentava falar a verdade tal como a via, mas minhas intenções sempre fracassavam. Eu não podia dizer a verdade verdadeira; ela não seria ouvida ou não mereceria crédito.

O clímax chegou quando eu era redatora do jornal do colégio. Tive o que pensava ser uma ideia brilhante para um editorial. O diretor me chamou ao seu gabinete, censurou o meu artigo e me disse para "crescer". Afirmou que não valia a pena ser raivosa; que não valia a pena ter instintos como os meus, que sempre queria guerrear. Senti-me depravada. Decidi tentar a virtude da autodisciplina. Eu não comia. Ficava louca com todas as pessoas, principalmente comigo, pois não conseguia perceber as coisas. O sexo era livre; as drogas, usadas abertamente. Eu não conseguia lidar com nenhum deles e não me incomodava com habilidades sociais. Não comer parecia uma boa maneira de voltar a mim, pois eu não conseguia lidar comigo mesma. Eu não podia crescer naquele mundo.

Ninguém entendia. Eu não conseguia fazer o médico me ouvir. Meus cabelos caíam, mas outros pelos cresciam por todo o corpo. Minhas regras sofreram interrupção. Meu peso caiu para 45 quilos com muita rapidez. Pouco antes de ir para o hospital, tive uma premonição que acalmava mais do que o sono. Era um sonho repetitivo que ocorria quando eu despertava e quando dormia. Era uma alta cama branca num quarto branco. As persianas estavam fechadas; a atmosfera era sepulcral. Eu ficava pequena na cama enorme. Eu me encolhia, encolhia-me até sumir. Eu não queria conscientemente a morte. Afastei minha consciência da ideia de para onde isso levava em última análise. Eu queria as férias do não estímulo, mais calmante do que o sono. Enquanto eu morria de fome, tudo ficara demasiado agudo e eu ansiava por fugir. Morrer parecia ser a única maneira de vencer o sistema.

Então fiquei irada e disse tudo o que sentia a respeito do meu padrasto. Disse que não sentia raiva da minha mãe. Que não era culpa dela. Hoje tenho raiva de minha mãe, mas não consigo exprimi-la. Sempre vejo a razão e por isso não posso ter raiva; a emoção ferve em mim. Não sei como exprimir a raiva de maneira adulta.

Um dia resolvi que não tentaria me matar. Percebi que tinha de escolher entre morrer e viver. Decidi viver. Desejava dar passos de afirmação da vida. Se recusar comida é recusar a vida, então, quanto mais como, tanto mais afirmo a vida.

Lancei-me ao mar e ganhei 17 quilos em um ano. Eu queria cereais, leite e açúcar, sorvete e iogurte. Todas as coisas que contivessem leite. Queria coisas que me preenchessem, coisas boas. Aos poucos minha energia voltou graças à natação. Isso me deixou livre para escrever. Eu tinha compulsão de aprender; não que eu me preocupasse com as notas, mas eu me preocupava de fato com a exploração completa de uma ideia para tirar o máximo dela. Viver num colégio de moças era muito difícil, porque as garotas eram fanáticas no tocante ao que comiam. Seus valores tinham como base a vaidade, a futilidade, a preocupação com o ponto de vista do mundo.

Aos poucos, Anne encontrou uma base. Formou-se na universidade, mas a vida e a comida ainda são um problema.

Às vezes, ao me sentir ansiosa, tenho a impressão de que estou me afastando da terra. Sinto que as formigas e borboletas estão me levando para cima. Não consigo suportar isso. Gostaria de pôr uma pedra no estômago para me manter na terra, para me sentir firmada na vida, para me levar de volta a um lugar de onde eu possa sair outra vez. Eu gostaria de descer a mim mesma. Sonho com frequência com a busca de marcos que me indiquem aonde ir, como lidar com a vida. Procuro coisas que afirmem a vida. Quando como, simplesmente continuo a comer. Tento alcançar o próprio centro da vida. Não creio poder prosseguir sem esses períodos de interrupção da autodisciplina. Apenas não posso ficar dizendo sempre "não, não, não coma isso, faça este exercício, obedeça às regras". Quando já não posso suportar o sofrimento, sempre como com a intenção de dormir. Desejo saturar a mim mesma, ficar pesada, quente, concreta e à vontade. Preciso me dar liberdade de ação, e embora o caminho não seja nobre – um caminho no qual não pretendo continuar –, preciso dele. Levo as coisas a um ponto crítico. Quando já não posso comer nem dormir, tenho de levantar e prosseguir.

Comer é ao mesmo tempo conforto e autodestruição. Às vezes, a comida me faz sentir que a vida não é terrível. Outras vezes, como demais somente para levantar uma parede de carne entre mim e os outros seres. Não quero ser um ente sexual, corporal. Quero ser um zero, uma bolha, e esquecer o mundo. Ser "apalermada" é estar numa condição de doce letargia, o oposto de ser uma alfineteira diante de todo estímulo. Às vezes fico tão presa que não sei o que fazer. Meu coração não estoura; eu gostaria que estourasse. Não se trata de um problema de ter um espírito alquebrado. É um coração... É o problema de um coração que não estoura e mantém a dor, desafiando um ponto de ruptura. Ele deveria estourar.

Neste mundo, as coisas são por demais dolorosas. Sinto-me tão encurralada que tenho medo de que minhas pernas vão fraquejar se eu não mudar rapidamente a minha experiência – para longe ou para dentro da terra. A comida muda a experiência de onde estou – AGORA.

Estou aprendendo outras maneiras de superar isso – orações e escrita. Quando escrevo, não tenho problemas alimentares. A oração disciplinada é uma audição ativa. Ela pode produzir o terceiro [a função transcedente] que pode modificar as coisas. Ela leva a uma saída ou, ao menos, a uma maneira de viver em oposição. A arte e a oração têm um estrito vínculo entre si. A arte é uma ponte para o outro mundo.

Por vezes, fico numa esquina imaginando o que estou fazendo. Sinto-me como duas matrizes, que estou tentando juntar. Uma "eu" pode sentir a vida; a outra me leva para longe de tudo isso. Minha vida é como o final de um poema chinês: "E parada após parada é o fim da estrada".

Acho que não posso prosseguir. A maré vem. Não há sentido... não há sentido... não há sentido. Da terceira vez, ela cai sobre mim. Não consigo encontrar minha relação com Deus e todo o mundo desaparece. Todo o sentido se afasta repentinamente da vida. Eis o perigo da coisa toda. Eu simplesmente nunca sei. Depois de cada parada, há um novo começo. Tudo é reduzido ao momento. Vivo a manhã e depois a tarde e, então, a noite.

Citei extensamente trechos da discussão com Anne porque sua enunciação do seu mundo interior oferece uma visão percuciente da angústia da adolescente anoréxica. Suas motivações, seus complexos e seus conflitos são bem semelhantes aos de Margaret, assim como se assemelham aos de toda mulher cujo corpo e espírito se acham seriamente dissociados. Ambas as garotas idealizaram imagens do pai – Margaret porque rejeitava o pai e projetava sua masculinidade num Jeová do Antigo Testamento; Anne, porque via o pai em situações festivas e projetava seu pai "real" num "imperador" que observava a dignidade com que ela aceitava a punição por parte dos seus representantes.

Ambas eram princesas de quem as mães – que também adoravam uma imagem tirânica de pai, imagem de um tirano que amava enquanto fosse obedecido e que rejeitava tão logo fosse contrariado – exigiam muito.

Como não tinham consciência da própria feminilidade, as mães eram incapazes de dar às filhas um amor instintivo pelo próprio corpo, razão por que o ego feminino estava dissociado do espírito feminino, aprisionado na própria terra delas. O terrível sentimento de se encontrar "aprisionada" e ansiosa por fugir é a energia do feminino rejeitado batendo nas barras da prisão, pedindo para ser libertada. Quando crianças, sua energia era naturalmente dirigida para a aprendizagem, mas a pressão para que fossem brilhantes criou um desejo compulsivo por livros, por clareza, por exatidão; a garotinha hipersensível que precisava chorar e receber carinho foi abandonada à lenta morte na sua prisão corporal. O mundo de fantasia com o pai tornou-se um anseio insaciável de perfeição e de verdade, reforçado pela hostilidade da garota para com tudo aquilo que fosse "obscuro, instintivo, ambíguo e inconsciente em sua própria natureza".[78] Embora a filha possa ter se sentido próxima da mãe, filha e mãe eram vítimas de um complexo materno negativo, sendo ambas ameaçadas pelo inferno do "caos do ventre materno".[79]

A Grande Deusa tem de ser reconhecida na primeira menstruação. Sem uma mãe que lhe possa transmitir uma profunda reverência por esse mistério, reverência pelo parto com ele associado e reverência pelo próprio corpo como instrumento por meio do qual a Vida se encarna, a filha reage com terror. Esse terror é proporcional à natureza e à intensidade do complexo paterno, que será discutido de modo mais completo no Capítulo IV. Basta dizer aqui que a fuga do feminino leva a mulher a tirar os pés da terra e a voltar-se para uma avidez de perfeição, de ordem e daquilo que Shelley denominou "a clara radiância da Eternidade" ["the white radiance of Eternity"].[80] Essa inflação é compensada pelo feminino, que se rebela contra o ar e retorna com violência ao concreto – à terra, à natureza, à vida, à comida. As fantasias sexuais impensáveis também são deslocadas para a comida e, para uma garota religiosa, o complexo é carregado ainda pelo desejo da união com Deus como uma fuga de um mundo com o qual não consegue lidar.

O comportamento de Anne na infância exibe certa diferença diante da atitude meiga, submissa e respeitosa da maioria das anoréxicas. Ela foi desde o início uma espécie de rebelde, devido à sua criatividade artística. Preocupava-se em "fazer tudo correta e apropriadamente", mas seu senso de humor e sua honestidade se manifestaram nesse desejo e a fizeram parecer rebelde. Todavia, ela manteve ocultos o real ardor da sua rebelião e o caráter ímpar da sua personalidade, porque isso "teria alienado todas as pessoas". "Eu era demasiado honesta", disse ela. "Eu teria tornado a vida muito difícil para mim." Quando se manifestou de fato, a anorexia trouxe consigo a rebelde completa.

Em *The Golden Cage* [A gaiola dourada], Hilde Bruch acentua que costuma haver entre os membros da família da garota anoréxica um "vínculo pegajoso e um compartilhamento particularmente intenso de ideias e sentimentos", mas a criança não é "reconhecida como indivíduo por direito".[81] Pode valer a pena considerar aqui que uma criança com grande capacidade intuitiva e de grande inteligência, que tenha sido criada num clima de muita intimidade com os pais, pode ser hipersensível a tudo o que aconteça inconscientemente dentro e fora de casa. Ela pode, com efeito, ser a portadora da sombra em quase todas as situações em que se vê envolvida. Se disser o que sente, torna-se uma ameaça para todos, passando a se sentir como uma Cassandra. Ela aprende a manter a boca fechada e articula os seus pensamentos, em segredo, com a sua caneta. A verdadeira personalidade está naquilo que ela escreve. Isso pode levar tanto à salvação como à destruição.

Sua inclinação natural é para a perfeição, para a purificação, para a estética. Seu ideal consiste em remover todos os véus superficiais até que só reste a essência. Se jejuar, ela logo sente a sua hipersensibilidade a cada um dos cinco sentidos, bem como a sua hiperacuidade para com o seu próprio inconsciente. Uma vez que experimente a intensidade do jejum e o poder, existente em si mesma, por ele liberado, ela pode achar que "morrer é uma riqueza/Findar à meia-noite sem sofrer" ["rich to die/To cease upon the midnight with no pain"].[82] Para ela, já não se trata de uma negação da vida, mas de um desejo ativo da perfeição da morte. Toda forma de arte – literatura, música, dança – pode tornar-se o "elfo enganador" que lhe faz acenos. Por outro lado, a arte pode ter para ela um caráter essencial como mediadora entre os dois mundos. Ser capaz de exprimir seus sentimentos de alguma maneira concreta, em especial por meio da dança criativa, pode ajudá-la a entrar em contato com seu próprio espírito vital interior, bem como a sentir que tem morada nesta terra, na qual deseja ficar um pouco.

Enquanto a garota obesa é incapaz de vencer a natureza, a anoréxica crê que tem sucesso. Parece que a força vital demoníaca leva uma a penetrar ainda mais na terra, enquanto a outra é impelida para o ar – a Escuridão oposta à Luz –, mas ambas para longe da vida. Como a sua vida está em jogo, a garota anoréxica é obrigada a encarar as próprias fantasias em termos de realidade, tendo como alternativas a esquizofrenia e a morte. A incapacidade de seguir a dieta permite à obesa a permanência em suas fantasias, evitando assim o reconhecimento do seu fracasso em encarar a realidade. Essa permanência leva-a a falhar na descoberta do núcleo da sua própria personalidade, o que lhe custa o respeito próprio. Ela corre o risco de mascarar seu desespero não expresso, seu sentido penetrante de impotência e de falta de esperança. Como vimos no Capítulo II, essa Escuridão tem resultados – fisiológica e psicologicamente – patológicos que podem manifestar-se quando ela chegar à menopausa e sentir que perdeu a sua vida feminina.

Algumas comparações entre as garotas obesas e anoréxicas estão na Tabela 4.

KATHERINE
(48 ANOS, 1,77 M, 82 QUILOS)

O sonho da serpente de Katherine foi apresentado no Capítulo II para ilustrar o poder da força de vida apartada do fluxo principal de energia do seu corpo. Seu material ilustra o que pode acontecer na meia-idade quando conflitos como os experimentados por Margaret e Anne não são tratados na adolescência.

Katherine acreditava que a força de vontade acabaria com o seu problema de peso, mas aprendeu que a dieta é apenas uma cirurgia que, em última análise, fracassa caso a raiz do sintoma não seja removida. Seu pai fora obeso e, embora tivesse conseguido libertar-se das suas proporções físicas ao fazer dieta, Katherine não rompeu sua relação psíquica com ele, nem descobriu sua própria feminilidade. À medida que ela se aproximava da segunda metade da vida, o *Self* lhe exigia que encontrasse sua própria totalidade. Desse modo, ela teve de reconhecer que a natureza e o espirito têm as suas próprias leis, às quais o ego finalmente deve curvar-se.

Ela pertence ao grupo das obesas primárias, porque todos os membros da sua família eram pessoas enormes, porque foi um bebê de 5 quilos e porque foi gorda até os 21 anos. Nessa idade, decidiu que seu mundo escolar não era bastante. Fez dieta e dançou até ficar com meros 62 quilos, apenas para descobrir, três anos mais tarde, que seu corpo retinha líquidos e ganhava peso apesar da dieta. Aos 32 anos, depois de uma série de desmaios, sua condição foi diagnosticada como edema cíclico. Durante vinte anos, manteve o peso e os líquidos sob rígido controle, ficando entre 75 e 85 quilos.

O edema cíclico é um sintoma angustiante para uma mulher que tenta manter o peso por meio do excesso de atividade e de uma dieta rígida. Ela acorda certa manhã com o rosto inchado, os olhos arregalados e o corpo dolorosamente distendido. Ela não consegue entender o que aconteceu. Se não identificar o sintoma, o médico sorri e lhe diz que ela não ficou assim por ter comido ar. Sua reação é de pânico íntimo, em parte psicológico em parte físico, porque a pressão que há no seu corpo é insuportável. (Uma moça de 22 anos que participou deste estudo chegou a furar o abdômen com uma lâmina de barbear, depois de uma consulta dessas, para liberar a pressão.) Caso se acostume com o sintoma, poderá render-se a ele. Fica drogada. Caminha como sonâmbula. Sorri e fala, mas não está ali. Nada pode atingi-la.

FATORES COMUNS

1. Dependência pegajosa com relação ao grupo familiar, sem que a criança seja amada pela sua individualidade.
2. Rígido controle no lar.
3. Perturbação básica na autopercepção e na consciência do corpo.
4. Incapacidade de reconhecer a fome e outras sensações corporais.
5. Emoções reprimidas, submissão excessiva, desejo exagerado de viver a vida não vivida dos pais.
6. Problemas alimentares provavelmente começaram no início da menstruação.
7. Atitude infantil com relação à sexualidade.
8. Inconsciente dos próprios sentimentos e das próprias necessidades femininas e, portanto, incapaz de viver a própria vida.
9. Tentativa de obter controle sobre a própria vida por meio da ingestão ou recusa de alimento.
10. Libera fantasia cultural de que a magreza resolverá seus problemas.

11. Ego fraco. Autoengano básico. Perigo de colapso psicótico.
12. Acossada por projeções dos pais. Desejo de perfeição contrabalançado por sentimento de falta de valor interior.
13. Problema alimentar vinculado com problema religioso e com *animus* demoníaco.
14. Desejo de morte compensado por firme desejo de viver.
15. Sentido esmagador de isolamento.

FATORES CONTRASTANTES

Tabela 4. Algumas comparações entre garotas neuroticamente obesas e anoréxicas.

Obesa	Anoréxica
1. Terror de ficar gorda equivale ao terror da privação.	1. Terror de ficar gorda.
2. Tende a manter-se externamente submissa na adolescência.	2. Tende a tornar-se rebelde e obstinada.
3. Considera-se feia, uma covarde fracassada aos olhos dos pais e dos companheiros.	3. Sente-se aceitável na cultura. No início, obtém admiração por perder peso.
4. Desenvolve sentimento de inferioridade moral.	4. Feliz pela força moral de manter-se na dieta.
5. Inanição e excessos alimentares alternados.	5. Alternância de inanição, excessos alimentares e vômito ritual.
6. Recusa-se a pôr as fantasias à prova; acredita que tudo ficaria bem se fosse magra.	6. Tenta pôr as fantasias à prova por meio da dieta.
7. Preocupação com a Escuridão.	7. Preocupação com a Luz.

Apesar do sintoma, Katherine tinha uma vida muito ativa e criativa. Era casada e não tivera filhos. Nos seus primeiros anos de adulta, era capaz de levar o corpo a extremos de exaustão, sendo essa a época em que o edema ficou tão pesado que a forçava a dormir. Quando relaxava, sonhava, a água era liberada e ela voltava ao normal. Aos poucos, os períodos de sono aumentaram para três em cada sete dias, ponto no qual ela começou a fazer análise.

Essa foi a sua crise de vida. Von Franz fala de um ponto de ruptura dessa espécie na seguinte passagem:

> Toda a energia vital [...] ia se acumulando nas camadas mais profundas do inconsciente, para vir à tona com um choque. A natureza tentara irromper vezes sem conta, mas eis que parece esperar até acumular uma grande carga. Mas isso é arriscado, visto que, nesse caso, ela vem numa forma perigosa, de modo que [...] pode-se chegar a uma solução de choque, ou a uma catástrofe de choque, porque a natureza não se importa com o que vai acontecer. A percepção disso só pode vir no leito de morte e, no final, pode haver um câncer, ocorrendo a percepção, tão somente, na última hora. Houve um período de calma em que a natureza ia acumulando [...] o complexo materno tomara a forma de um dragão destruidor. Como não há luta com esse dragão (eles[as] apenas passam por ele), isso significa que a mãe devoradora assumiu agora a sua forma mais profunda, mais fria e mais destruidora, tendo desaparecido nas entranhas da terra. Nada acontece na camada superior. Um arquétipo que assume a forma de cobra ou de

dragão encontra-se em camadas tão profundas que só se manifesta no sistema nervoso simpático, tendo o conflito uma forma que o impede de ser assimilado. Sequer haverá sonhos mais importantes. Trata-se da calma antes da tempestade.[83]

Katherine teve a sorte de ter iniciado a análise, tendo podido entrar em contato com a sua cobra. Pensando em seu mundo interior, ela escreveu em seu diário:

> Quando me sinto leve, alegre e apaixonada pela vida, tenho a impressão de que estou fora da prisão por pouco tempo, devendo a ela retornar. Começo a me sentir culpada. Sei que o sofrimento voltará. Caio no desespero e sinto que meu corpo se enche de água. A pressão cresce até que eu me movo num transe para poder continuar a me mover. Então o transe me leva à água maior. Meu Deus, é como Ofélia! E pela mesma razão! Ela traiu Hamlet porque não podia desobedecer ao pai. Será que o demônio do qual tento escapar é o Jeová ciumento e inflexível que o meu pai adorava?
>
> O verdadeiro dragão que há em mim vive na água. Vive numa lagoa negra nas profundezas do meu Ser. É o sentimento e a feminilidade reprimidos – a melhor parte de mim transformada num poço pestilento represado com muito esforço. Minhas belas águas femininas – meu amor natural, minha alegria, minha raiva, meu sofrimento com todas as variações de intensidade com que os sinto –, todas as coisas raramente expressas. O medo é o dique – medo da rejeição, medo da rejeição por parte dos homens que mais amo.

A Velha Mãe Alquimia, com sua hidropsia, era, em suas partes inferiores, inconsciente do seu sentimento feminino vivo. Tentei dizer a mim mesma que apenas levasse a vida, tirasse o máximo dela, estivesse gorda ou magra. Não adianta chorar. *C'est la vie.* Mas eis que uma voz disse: "Você tem o direito de alimentar esperanças. Você não é como outras mulheres. Tem o direito de viver". Quando a dor de tudo ficou grande demais, afundei no mar das lágrimas que eu mesma vertera.

Mas, mesmo me afogando, eu também me apegava a alguma coisa que havia nessas águas. Entreguei-me ao inconsciente, desisti do ego e confiei na minha outra voz. Deixei de me preocupar e de lutar. Apenas fui para onde era levada, por entre perigos que teriam significado a morte se meus olhos se tivessem aberto. Será isso realmente uma experiência do lado sombrio do *Self*, que, paradoxalmente, me destruía e me salvava ao mesmo tempo? Será o meu medo desse poder arrasador que me faz experimentá-lo como demônio até que eu me entregue? Pensei que tivesse conquistado o deus sombrio quando me recusei a me perder na gordura. Mas agora a força do meu ego me leva para um lugar ainda mais profundo. Talvez não tivesse medo se estivesse sendo levada conscientemente. Talvez assim os meus reais sentimentos pudessem encontrar uma expressão natural. Então eu poderia libertar o Espírito Santo que se afogou nessas águas. Então eu poderia me entregar a um Deus amoroso e ser batizada de verdade. Eu poderia aceitar o desconhecido – mesmo que isso significasse aceitar como lar a ausência de lar.

Os sonhos de Katherine a ajudaram a reatar a sua ligação com o seu feminino perdido. Por vários meses, através de sonhos e da imaginação ativa, sua velha cigana sábia a iniciou nos ritos femininos, fê-la consciente da sua própria sabedoria instintiva e de sua própria natureza receptiva. Pouco a pouco, ela aprendeu a manter contato com seus reais sentimentos e a exprimi-los em situações espontâneas. O contato com a sua natureza feminina a tornou menos temerosa da rejeição. Sua dependência dos diuréticos diminuiu; seus episódios edêmicos ficaram mais raros e menos graves. Ela ainda sentia dificuldade para entregar o ego, ainda tendia à ação compulsiva e a temer o feminino ctônico. Então, teve o seguinte sonho:

> Eu e um amigo estamos nadando num pequeno lago. De repente, fico tomada pelo terror. Estamos muito longe da margem para o meu gosto. Ele diz: "Não se preocupe. Apenas não lute e eu levo você para o outro lado". E ele desenha uma forma na água, mostrando-me que os opostos podem ser unidos assim – em vez de outra forma. "Não solte o deus sombrio agora", diz ele. "O transcendente pode vir das trevas e não da luz. Sua depressão está no seu deus sombrio."

Sua súbita perda de confiança, seu temor de ser engolfada pela água, seu medo de confiar no seu próprio *animus* – tudo isso está claro na situação inicial. O medo a afastou do Ser e a levou à ação compulsiva. O seu *animus* lhe diz para não lutar contra ele, para relaxar e deixar que as coisas aconteçam. Os opostos só podem ser unidos quando ela segurar os dois lados e permitir que o deus sombrio surja através da lacuna ou do pequeno lago do seu lado sombra. Sua verdadeira cura pode vir por meio da natureza. Por algumas semanas, ela sonhou com poços negros nos quais podia pular. O medo a fazia retroceder. E veio então o seguinte sonho:

> Eu caminhava na escuridão quando dei com uma área redonda, cor de azeviche, no chão. Parecia a cratera de um vulcão, mas eu não tinha certeza de ele estar extinto, nem daquilo que eu poderia ativar caso pulasse nele. Era fétido, sujo, lamacento. Surgiu então uma voz, que mais pedia do que ordenava: "Lança-te no abismo". Aproximei-me da sua borda e vozes ecoaram ao meu redor – "Confia – Confia – Confia...". Pulei no seu centro e, enquanto caía, vi, no fundo do abismo, duas letras S de ouro que se uniam para formar o número 8, símbolo do infinito. Caí no meio. No mesmo instante, ele ficou na posição vertical; um dos lados se incendiou e me levou para a parte superior das trevas.

Fazendo associações com esse sonho, Katherine disse que o abismo era diferente de tudo o que ela conhecia. Era a Morte. Mergulhando na sua escuridão, ela experimentou a sua total solidão e viu que estava numa luta de vida ou morte. O mundo se tornou uma ilusão e a única realidade estava nas duas letras S de ouro, o *Spiritus Sanctus*, no fundo do buraco. Ela pensou num texto que parecia dizer mais ou menos o seguinte: "O filho do Rei jaz nas profundezas, como se estivesse morto. Mas ele vive e exclama das profundezas: 'Aquele que me libertar das águas e me levar para terra firme, fá-lo-ei próspero com riquezas inesgotáveis' ".[84] Ela disse: "Era sua a voz que me chamava do lodo. Eu pensava que O resgatava e Ele me resgatou".

Em *Woman's Mysteries* [Os mistérios da mulher], Esther Harding narra o mito em que a lua envia um dilúvio sobre a terra mas fornece, ao mesmo tempo, um meio de salvação, um barco-lua crescente em que os seus eram levados para o sol, lugar de calor e de luz. Comentando o mito, ela escreve:

> [O significado psicológico dessa arca é] por certo que se deve encontrar a redenção da atitude insensível das águas inconscientes do instinto, que representa a parte sombria da lua, por meio da aquisição de uma relação diferente com a deusa da lua. Salvar-se no barco da deusa não é o mesmo que ser engolfado pelas águas da lua. Alçar-se ao seu barco equivale a tornar-se um dos seus pares. Trata-se de um símbolo religioso [...] Deve-se chegar à salvação assumindo uma nova atitude diante do poder do instinto, o que envolve o reconhecimento de que ele não é, em si, humano, mas pertencente ao reino não humano ou divino. Entrar na barca da deusa implica aceitar a irrupção do instinto num espírito religioso como manifestação da própria força vital criadora. Quando uma atitude dessas é alcançada, o instinto já não pode ser considerado um bem a ser explorado em proveito da vida pessoal, devendo-se em vez disso reconhecer que o eu pessoal, o ego, deve submeter-se às exigências da força vital como se o fizesse diante de uma força divina.[85]

Tendo vencido seu terror do feminino ctônico e seu desejo de apegar-se à posição do ego consciente, Katherine rendeu-se ao que pensava ser a morte. Mas, nessa morte, encontrou a força vital aprisionada nas águas, e o Espírito Santo a levou, numa eclosão de chama viva, na direção do sol. Seu *Spiritus Sanctus*, que fora enterrado na terra lodosa, transformou-se subitamente, graças ao seu ato de confiança, num símbolo da intemporalidade da alma que agiu como uma arca para levá-la à consciência. Seu deus sombrio surgiu através da lacuna e a ajudou a transcender seu impasse.

Katherine percebeu que sua impulsividade e a sua depressão eram atribuíveis a tremendos impulsos interiores que não estavam sendo exteriorizados. Esses impulsos eram reprimidos pela resignação que constituía o núcleo da depressão no inconsciente. Mais uma vez, citando Von Franz:

> Eis por que, quando tiramos alguém de um estado desses, ele primeiro se torna um leão faminto desejoso de devorar tudo, tendo a depressão sido, tão somente, uma compensação, ou mecanismo de repressão, porque a pessoa não sabe como lidar com esse formidável impulso.[86]

Até esse ponto, Katherine jamais tivera coragem de recorrer às suas próprias profundezas criadoras. Muito de sua libido se achava fechada no seu inconsciente, deixando na consciência a depressão.

O que o sintoma de Katherine simbolizava? Está claro que o *Self* fazia o seu ego aceitar um plano previamente traçado, usando o seu corpo como instrumento. Por meio da força do ego, ela ficara esguia, mas o seu ego era impotente diante do novo sintoma, que se assemelhava à odiada gordura. Suas tentativas de escapar aos próprios sentimentos apenas os prendera nas lágrimas que ela carregava nos seus quadris e nas suas coxas. Sua vida convencional tornou-se uma prisão, cujos estreitos limites ela buscara esquecer ao correr com maior rapidez em sua roda de moinho; ela buscara ignorar suas intensas emoções e, ao fazê-lo, entregara o seu destino pessoal à natureza cega.

Para sua felicidade, a natureza não era cega. Fisiologicamente, o edema cíclico pode ser comparado com uma alergia. Quando uma quantidade demasiada de "veneno" penetra no corpo, este retém água para anestesiar e proteger a si mesmo do excesso de dor.[87] Ele defende a sua química particular da invasão de um número excessivo de elementos estranhos. A natureza por demais empática de Katherine tornou-a vulnerável a uma quantidade excessiva de invasores psíquicos. Logo, o instinto a protegia e mostrava-lhe como proteger-se. Periodicamente ela era forçada a entrar em suas águas femininas, obrigada a sucumbir aos seus próprios ritmos interiores. A situação arquetípica aparecia em suas imagens oníricas como um peixe, meditando em silêncio nas suas próprias profundezas, alimentando-se das fantasias e sonhos capazes de trazer nova vida ao seu corpo e ao seu ego. Nesse mundo intemporal do fundo do mar, ela estava livre de compromissos, de conflitos e de dores. Enquanto o seu ego não era forte o bastante para lidar com a tensão, a dor passava para o seu corpo e o edema lhe permitia regredir para a proteção do ventre que ela exigiu naquele momento.[88] Ao mesmo tempo, agia como escudo corporal contra ataques adicionais.

Quando ela foi capaz de ouvir o próprio corpo e de reconhecer suas mensagens na consciência, o edema aos poucos foi vencido. Gradualmente, por meio de amplificações, ela conseguiu aceitar essas águas como de caráter divino, parte do ciclo feminino do aumento e da redução da lua. Ela foi percebendo pouco a pouco que a inundação era por vezes parte de uma "depressão criadora", uma gravidez, precursora das eclosões de criação que eram essenciais à sua vida. Sua criatividade dependia do fluxo suave e constante do sentimento; de outro modo, ela ficava exaurida pela rigidez das tentativas excessivas seguidas de pouca realização.

Em *Mysterium Coniunctionis*, Jung escreveu amplamente acerca da transformação do velho rei pela água.[88] De maneira resumida, a parábola é a seguinte: quando estava para entrar numa batalha, o rei pediu ao seu criado que lhe levasse água. "Exijo a água que está mais próxima do meu coração e que gosta de mim acima de todas as coisas." E ele bebeu tanto que "todos os seus membros se encheram e ele ficou descolorido". Seus soldados o colocaram numa câmara aquecida para que transpirasse; mas ao abrirem a porta, "ele jazia ali como se estivesse morto". Médicos egípcios partiram-no em pedacinhos, que passaram no pó e misturaram com remédios, e o puseram outra vez na câmara. Ao ser retirado, o rei estava meio morto. Médicos de Alexandria passaram o corpo na terra uma segunda vez, lavaram-no e o secaram, acrescentaram novas substâncias e o colocaram numa câmara em forma de cadinho com perfurações na parte inferior. Uma hora depois, atearam fogo à câmara e o dissolveram, de modo que o líquido escorreu para o recipiente colocado embaixo. Eis que o rei ressurgiu e gritou: "Onde estão os meus inimigos? Matá-los-ei a todos caso não se submetam a mim". Comentando essa parábola, disse Jung:

> A ideia era extrair o pneuma ou psique [...] da matéria [...] na forma de uma substância líquida ou volátil e, assim, mortificar o "corpo". Essa *aqua permanens* [água eterna] era então usada para reviver ou reanimar o corpo "morto" e, paradoxalmente, para extrair a alma outra vez. O velho corpo tem de morrer; é sacrificado ou simplesmente assassinado, do mesmo modo como o velho rei tinha de morrer ou de oferecer sacrifício aos deuses.[90]

O *Self* exigiu de Katherine uma dissolução dessa espécie para purificar-lhe o ego e para levá-la a render-se ao Espírito Santo. Só então pôde o deus de sua Escuridão pegar fogo, reanimando-lhe o corpo "morto" e libertando-lhe a alma.

A consideração do coração dessas três mulheres revela a angústia oculta da alma feminina enterrada. Margaret e Anne estavam na primeira metade da vida, lutando pela formação do ego; Katherine estava na etapa da segunda metade da vida em que, no processo da individuação, o ego tinha de render-se ao *Self*. A gordura, estudada como sintoma, já não pode ser considerada apenas uma inflação, nem uma tentativa de reter tudo ou um desejo de poder que alimenta um *animus* avarento. Nem é o comer em excesso uma mera tentativa de punir a si mesmo e aos outros, em especial à mãe que nunca lhe deu o bastante. O foco de luz revela a perfeição com a qual a flecha se ajusta à ferida. "As ações de ferir e os golpes dolorosos não vêm de fora [...], mas da emboscada do nosso próprio inconsciente. São os nossos próprios desejos reprimidos que se prendem como flechas na nossa carne."[91]

Capítulo IV
A Perda do Feminino

> As Mênades [...] são as mulheres santas tomadas de frenesi que se dedicam ao culto de Dioniso. Mas são um pouco mais do que isso: tanto cuidam do deus como sofrem a sua inspiração.
> – The Notebooks of Martha Graham

A obesidade é um dos principais sintomas de neurose no mundo ocidental. Os milhões de dólares gastos em pesquisas, dietas e clínicas de emagrecimento comprovam a futilidade dos nossos esforços para lidar com ela.[92] Ser magro(a) tornou-se uma mania que tende a atribuir a neurose à comida, permanecendo as raízes do problema apodrecidas. Vários milhares de garotas anoréxicas, morrendo de fome e se encaminhando rapidamente para o colapso, negam o papel feminino tradicional, preferindo regredir à infância. Muitos milhares de suas irmãs obesas padecem das dores igualmente agônicas de um lento

Figura 3. Estudo de Picasso para *Família de Saltimbancos*. (Baltimore Museum of Art, Coleção Cone)

processo de destruição. Umas e outras fizeram um pacto de sangue com a Morte.

Acusar os pais é uma maneira conveniente de ocultar essa enormidade cultural. Essas garotas falam do seu peso com o mesmo embaraço com que as mulheres um dia falaram de sua vida sexual.[93] É possível que o deus reprimido que foi somatizado como histeria na primeira metade deste século se manifeste hoje na obesidade e na anorexia nervosa?

As vinte voluntárias obesas deste estudo pertencem aos 40% de mulheres americanas de peso acima do normal e são em larga medida um produto do modo de vida ocidental. Uma análise mais detalhada dos complexos significativos revelados por meio do Experimento de Associação demonstra até que ponto o problema individual reflete um padrão cultural.

O COMPLEXO PATERNO

Dentre as vinte mulheres obesas, doze tinham complexos paternos positivos e oito idealizavam seus pais ausentes ou alcoólatras. Dentre os controles, doze tinham complexos paternos positivos e duas apresentavam pais idealizados, mas quinze delas também tinham mães positivas, ao passo que somente quatro das obesas as tinham. O pai positivo sem a mãe positiva pode também assumir as características maternais. Nos três casos discutidos no Capítulo III, duas das mulheres tinham pais alcoólatras e o compensavam com intensas projeções de um pai-deus idealizado; a terceira tinha um complexo paterno positivo com projeções igualmente intensas num pai-deus. Pelo que posso perceber, todos os pais eram *puers*. Ao que parece, esse compartilhamento peculiarmente íntimo de ideias e de sentimentos entre filha e pai é um fator decisivo na psique da mulher obesa. A reprodução de Picasso (Figura 3) ilustra de maneira vívida a divisão do *animus* da filha. Uma parte sua é atraída pelo delicado *puer*, o sonhador romântico, o idealista de cabelos claros que anseia por escapar das realidades da vida em sua busca de um mundo melhor. No tocante a ele, os sentimentos da filha são divididos. Parte dela é a *puella* que compartilha das características do pai e compartilha da sua busca de sentido espiritual; parte é a mãe, cujo único desejo é alimentar o seu garotinho e protegê-lo da dor.

Por ser na maioria dos casos um "filhinho da mamãe", o pai tem um íntimo contato com o próprio inconsciente, estimando as profundidades criativas que busca compartilhar com uma inspiradora. Ele precisa da filha para representar esse papel, atuando ela como ponte para o inconsciente; precisa dela ainda para ser mãe, agindo como um amortecedor entre ele e a realidade. O palhaço gordo é o outro lado do *puer*, o *senex*.[94] Em termos positivos, ele é o velho sábio que respeita a ordem, a estabilidade e a segurança, conduzindo a própria vida com responsabilidade e autoridade. Em termos negativos, é uma figura saturnina, que exibe as qualidades astrológicas do planeta: "impulsividade, depressão e desespero criadores, abatimento,* sofrimento, prisão, impotência, desumanização".[95]

Como os dois lados do arquétipo não estão integrados no pai, a garota fica "enfeitiçada" pelo inconsciente deste. Assim,

---

* "Abatimento" é tradução de *heaviness*, que também significa "peso". (N.T.)

ela carrega seu abatimento e o sentido de tragédia e de ironia do palhaço. Na sua dança mais feliz, ela ouve o eco dizer "vaidade, vaidade, tudo é vaidade" e sente os pés virarem chumbo debaixo de si. Como seu modelo de Logos carece de estabilidade e de autoridade interior, falta-lhe também os recursos para combater a depressão com ordem e luz. Como quaternidade, o relacionamento entre pai e filha pode ser esboçado como vemos na Figura 4.[96]

Figura 4. Dinâmica psicológica do relacionamento pai-filha.

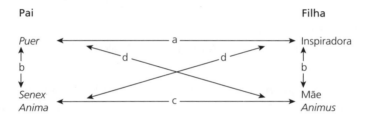

Várias relações são evidentes, havendo entre elas uma fusão:

a) O relacionamento pessoal.

b) O relacionamento de cada um deles com o inconsciente.

c) O relacionamento da *anima* e do *animus* com as complicações da sombra.

d) O relacionamento do *animus* da filha com o pai e da *anima* do pai com a filha.

A situação inconsciente revela-se com clareza no diagrama. A mãe (matéria, corpo) está vinculada inconscientemente com o *senex* e com o seu abatimento saturnino. Talvez a combinação desses dois arquétipos esteja por trás da figura prematuramente maternal da garota obesa.

Se tiver havido discórdia parental e se o pai, desapontado, tiver voltado a sua projeção da *anima* para a filha, esta se tornou, de modo inconsciente, sua noiva-criança, desvirginada prematuramente. Mas a esse marido ela pode permanecer fiel pelo resto da vida, quer na sua escolha do marido ou na sua incapacidade de se casar ou de levar Eros à sexualidade. No inconsciente, ela pode estar aprisionada num casamento incestuoso. (Em termos freudianos, ela tem um complexo de Electra.) A não ser que reconheça que o seu pai-amante é o seu próprio homem ideal interior que não deve ser projetado num homem humano, ela pode passar a vida à procura do seu amante espectral. Se encontrar o seu "ideal", ela pode estar fadada à dupla tragédia, pois a flecha de ouro provavelmente vai atingir um *puer* que procura uma noiva-mãe. O seu casamento vai ser então um duplo incesto.

Por trás do complexo paterno está o arquétipo de Deus Pai. A *puella* que adora ou idealiza o seu pai *puer* procurará esse Deus para obter luz e justiça, embora possa temer, sem disso ter consciência, a Sua traição. Conscientemente, ela busca a beleza e a verdade; inconscientemente, as forças sombrias do seu *animus puer* rebelam-se contra um Jeová justo e, sem se aperceber, ela pode aliar-se com Lúcifer. A literatura está cheia dessas "donzelas inocentes".

Em "Éloa", poema de Vigny, a namorada do Diabo é um anjo que jamais veio à Terra. Era filha de Cristo, tendo brotado de uma lágrima vertida por Jesus no túmulo de Lázaro. Sua missão era consolar os aflitos. É o arquétipo celestial das mulheres mortais que deram sua vida a homens sofredores, na esperança de elevá-los e redimi-los. Não estando feliz no Céu com os seus irmãos anjos, ela ansiava por descer ao Inferno para consolar seus irmãos condenados, pois estes necessitavam dela. O anjo que mais precisava da sua simpatia era o próprio Lúcifer. Um dia, ela encontrou um anjo de beleza inexcedível e de eloquência sedutora. Sem conhecer-lhe a identidade, a ingênua donzela foi seduzida pelas lágrimas que ele derramava e pelo seu encanto fatal. Sua piedade tornou-se amor. Envoltos numa nuvem, os dois passaram juntos para o Inferno, mas seu diálogo foi ouvido por um coro de querubins:

Où me conduisez-vous, bel Ange? – Viens toujours.
– Que votre voix est triste, et quel sombre discours!
N'est-ce pas Éloa que soulève ta chaîne?
J'ai cru t'avoir sauvé. – Non, c'est moi qui t'entraîne.
– Si nous sommes unis, peu m'importe en quel lieu!
Nomme-moi donc encore ou ta Soeur ou ton Dieu!
– J'enlève mon esclave et je tiens ma victime.
– Tu paraissais si bon! Oh! Qu'ai je fait? – Un crime.
– Seras-tu plus heureux du moins, est-tu content?
– Plus triste que jamais. – Qui donc es-tu? – Satan.[97]

[Onde me conduzes, belo Anjo? – Prossegue.
– Tua voz é triste, e que sombrio discurso!
Não é Eloá que te retira a cadeia?
Eu acreditava ter-te salvo. – Não, sou eu quem te arrasta.
– Se estamos unidos, pouco me importa o lugar!
Chama-me pois ainda tua Irmã ou teu Deus!
– Carrego o meu escravo e levo a minha vítima.
– Parecias tão bom! Oh! Que fiz eu? – Um crime.
– Ficarás mais feliz? Estás ao menos contente?
– Mais triste do que nunca. – Quem, pois, és tu? – Satanás.]

Seduzida pela solidão dele e pela sua própria piedade, Eloá lhe pergunta melancolicamente nos dois últimos versos se ele não ficará feliz ou, ao menos, satisfeito. Vem então a resposta que ela deve ter temido:

"Mais triste do que nunca." "Quem és tu?", pergunta ela. "Satanás", responde ele.

Eloá personifica aquela doce donzela que oscila entre assumir a responsabilidade pelo próprio Demônio e não assumir nenhuma responsabilidade. Sua dedicação consciente a nobres propósitos deixa o seu demônio inconsciente constelar no seu parceiro, que deve viver o papel do seu *animus*-sombra. Ela não consegue tornar-se uma mulher humana capaz de encarar a si mesma e de aceitar as próprias limitações e a própria força. A "perfeição" do seu pai fê-la esperar demais de si e dos outros. Jeová sempre a está julgando e ela deve fazer tudo o que puder para agradá-Lo, mesmo que isso lhe custe a própria integridade. O relacionamento com o seu companheiro é importantíssimo.

"Ele por Deus apenas e ela pelo Deus que nele há" ["He for God only and she for God in him"].[98] A não ser que esteja muito segura de si mesma, uma mulher dessas sacrificará até mesmo os próprios sentimentos para manter o único relacionamento que a mantém viva. Se trair suas próprias profundezas de sentimento, ela cai nas mãos do seu *animus* negativo, que pode se tornar destruidor a ponto de matá-la. Sua devoção à ordem apolínea de vida, conjugada com o medo do demônio, leva-a a buscar o controle do ego por meio da atividade do *animus*. Todavia, ao ignorar o seu lado *puella*, ela está perdendo o seu vínculo com Dioniso, o que leva à perda do componente essencial da sua natureza feminina.

Eloá, como parte de um mito cristão, constitui um interessante contraste com a grega Perséfone. Uma e outra foram donzelas inocentes seduzidas pelo deus do Mundo Inferior. Perséfone, contudo, tinha firmes raízes na terra em sua íntima ligação com a mãe; logo, pôde entregar-se a Hades e, na época determinada, dar à luz um filho, Dioniso, cujo berço, uma peneira de joeirar com uma única espiga, era o objeto mais venerado do grande festival da colheita celebrado em Elêusis.

Eloá, por outro lado, não tem mãe nem corpo humanos, razão por que não tem relação com a realidade. Sua vida surgiu da lágrima sentimental e masculina que tem piedade dos mortais devido ao seu fado humano. Essa sentimentalidade rejeita as realidades da vida na Terra. Eloá, tornando-se cega ao seu próprio mal, e inflada pelo seu desejo de salvar, está ao mesmo tempo se rebelando contra um deus que permite a existência do mal. Em decorrência disso, torna-se vulnerável a Satanás, o arquirrebelde. Sem um parentesco próximo com a Mãe Deméter, faltam-lhe firmes raízes em sua própria sexualidade. Ela não tem um terreno no qual lide com a sombra, podendo tornar-se uma mártir inútil para o homem que se põe a salvar. Nem Dioniso nem um Cristo vivo podem nascer sem o seu corpo. A Eloá moderna se recusa a ser vítima do homem ou do Deus que um dia adorou. Não obstante, como ainda não assumiu a responsabilidade pelo seu próprio mal, tende a projetá-lo no mundo masculino, onde busca vingança pelo assassinato da sua feminilidade. Enfeitiçada pelo seu próprio impulso masculino de poder e desvinculada da sua própria Deméter, ela não consegue perceber na vingança uma forma disfarçada de auto-assassinato. Isso impossibilita a passagem para o sacrifício. Sua feminilidade perdida não é redescoberta nem redimida.

O COMPLEXO MATERNO

Quando uma mulher está sob o domínio de uma desordem alimentar, mais crucial do que o complexo paterno é o complexo materno. A confusão de instintos provavelmente remonta à mais tenra infância. O bebê tem choros diferentes para diferentes necessidades, mas a mãe que não sabe interpretar esses choros, não dispõe de recursos interiores para dar respostas diferenciadas ou não tem o amor para atender a essas necessidades, responde a todo choro com comida. E quando o bebê fica empanturrado, ela fica imaginando o que o teria levado a vomitar. Como pode ele ser tão ingrato? Falando dos problemas ulteriores da criança, Hilde Bruch escreve:

A incapacidade de identificar sensações corporais de maneira correta constitui uma deficiência específica nas desordens alimentares; também outras modalidades de sentimento são percebidas ou conceituadas de modo impreciso e, com frequência, associadas com a incapacidade de reconhecer as implicações das interações com outras pessoas.[99]

A mãe que não tem contato com o próprio corpo não pode fornecer ao bebê o sentido de harmonia com o *Self* e com o universo, que é fundamental para o sentido ulterior de totalidade do filho.

Em *The Child* [A criança], Erich Neumann discute a importância do contato positivo oferecido pelo relacionamento primário:

> A ordem e a moralidade da Grande Mãe são condicionadas pela experiência da criança com a ordem do seu próprio corpo e com o ritmo cósmico do dia e da noite, e das estações. Esse ritmo determina a vida de todo o mundo orgânico e os principais rituais da humanidade estão em sintonia com ele [...] Por intermédio da harmonia entre o ritmo próprio da criança e o da mãe – sendo este último experimentado na relação primária como idêntico àquele –, a imagem da mãe se torna o representante tanto do mundo interior como do mundo exterior [...] A raiz da mais remota e mais fundamental moralidade matriarcal deve ser procurada, por conseguinte, numa harmonia entre a personalidade total ainda não dividida da criança e o *Self*, experimentado por meio da mãe.[100]

Neumann assinala que, quando a relação primária é perturbada, a criança culpa a si mesma e não ser amada se torna sinônimo de ser anormal, culpada, sozinha. Mais tarde, o próprio *Self* da menina se torna a Mãe Terrível, cuja rejeição nega ao filho o direito de viver. Como a criança experimenta o *animus* da mãe como algo hostil, desenvolve-se um paradoxo. Ela passa a experimentar todo princípio ordenador superior como um ataque à sua psique. Esta reage com medo, mas esse é o medo do caos.

Se a relação primária for positiva, a criança pode aceitar o ataque do princípio ordenador superior, pois o predomínio do princípio de Eros lhe dá coragem para aceitar o formidável poder negativo. Ela pode morrer e sabe que renascerá. Se a relação primária for negativa, contudo, o ego assustado, nascido prematuramente do instinto de autopreservaçao, substitui pela agressão e pelos mecanismos de defesa a segurança que a mãe negativa foi incapaz de dar.[101]

Numa sociedade em que tantas mães perderam o contato com o ritmo de sua própria natureza, não causa surpresa o fato de o medo da vida ser fundamental em tantas personalidades. A criança à qual não se permite viver os seus próprios ritmos espontâneos desenvolve um medo petrificador do poder dos seus próprios instintos, visto estar apartada do seu próprio Ser interior e, portanto, distante da realidade da vida.

Uma tal criança se torna uma mulher adulta que simplesmente não compreende o princípio feminino. Para ela, "ser receptiva" significa renunciar ao controle, abrir-se ao Destino e mergulhar, através das trevas caóticas, num abismo sem fundos.

Nenhum braço amoroso vai se abrir para recebê-la enquanto ela cair. Por essa razão, ela não se atreve a entregar-se à Vida – as consequências disso podem ser fatais. Mesmo que a porta da sua jaula estivesse aberta, ela não se atreveria a cruzá-la. Se agisse a partir dos seus próprios instintos e verbalizasse os próprios sentimentos, ela se tornaria vulnerável ao que o Destino tem a oferecer. É melhor tentar manter o controle, ficando em silêncio e representando os papéis de filha, esposa e mãe de maneira indiferente, como sempre os entendeu.

Na realidade, ela pode estar fazendo a única escolha possível. Curvar-se à Grande Deusa é aceitar a vida tal como é: hoje inverno, amanhã primavera; a crueldade combinada com a beleza; a solidão seguindo o amor. Só é possível submeter-se quando se sabe que os braços da mãe amorosa – ou, talvez, as asas estendidas do Espírito Santo – estão abertos para acolher a criança que cai. Nas crises fatídicas, pode-se de fato não ter escolha.

A mulher obesa vive uma dupla prisão. Sua obsessão com o peso a protege do seu confronto consciente com os opostos – confronto que é o único caminho para a totalidade pela qual ela anseia. Sendo mulher, seu instinto feminino lhe diz que ela deve submeter-se, mas ela está aterrorizada com a perda do controle que, na verdade, não tem. Ao mesmo tempo, ela sabe que não se atreve a fazê-lo, por temer que os piores terrores se tornem realidade: os braços do amor não estão presentes. Da mesma maneira, um homem amoroso não pode ser, a um só tempo, amante e mãe substituta. Sua cura deve vir por intermédio do abismo do feminino ausente.

OS COMPLEXOS ALIMENTAR, SEXUAL E RELIGIOSO

A mulher obesa que adora Apolo de dia tende a ser-lhe infiel à noite. Seus instintos exigem atividade criativa e, uma vez que sua libido tem a comida como foco, ela cozinha. Mas enquanto ela bate o seu bolo e dá forma aos seus doces, os impulsos que não podem ser atendidos com comida ganham dinamismo. Aos poucos, sua fome de vida, sua fome sexual e sua fome espiritual convergem num único desejo do alimento proibido. De súbito, todas as limitações que ela não pode encarar em si mesma desaparecem e a perfeição que ela anseia obter parece possível. Os conflitos parecem estar resolvidos na satisfação momentânea de preencher a si mesma com guloseimas. Momentaneamente, ela é Rainha em seu domínio. Ela incorporou a si a numinosidade da comida e identificou-se com ela. Aumenta o impulso de totalidade e, com ele, o desejo de perder-se e de se encontrar no êxtase do esquecimento. Tudo se resolve na sua rendição a uma totalidade ilusória e ela adormece.

Quando acorda, seu ego dividido reconhece a ilusão. Ela sente desprezo por si mesma, pela "gororoba" que comeu. Ela padece a humilhação da sua autoilusão e provavelmente passa a identificar-se com a comida ruim; então, o suicídio pode afigurar-se como a única escapatória possível. Em algum lugar, ela deve ser completa – se não nesta vida, ao menos na morte. Seu ego fraco tende a se identificar com o lado sombrio do *Self*.[102] Sua labuta diurna pela perfeição adere a uma ordem apolínea; sua labuta noturna pela totalidade tem a ferocidade arcaica das

Mênades ao fazerem um animal em pedaços e ao comerem a sua carne crua. Dessa maneira, ela tenta incorporar o deus.

Ann Belford Ulanov, tratando da função religiosa da psique, revê o conceito junguiano na seguinte passagem:

> A psique [...] está estruturada em polaridades. Para que a psique alcance a totalidade, o ego deve reconhecer e reconciliar essas polaridades. O processo de reconciliação ocorre por meio da participação consciente em símbolos que surgem do inconsciente e unem os dois polos opostos numa terceira forma. Esse novo símbolo, ao realizar o trabalho de reconciliação, coloca a consciência num contato mais profundo com o resto da psique, o que por sua vez enriquece a pessoa em suas relações com os outros, fazendo-a sentir-se num contato mais completo com a vida.
>
> A experiência da reconciliação traz consigo um sentido de ser guiado pela fonte e pelo poder do ser, e de estar em relação com eles. É esse o tipo de experiência sentida como religiosa. Essa capacidade inata de produção de símbolos que têm esse efeito reconciliador e essa presença tocante é o que Jung denomina função religiosa da psique.[103]

Essa passagem deixa bem claro o processo de deslocamento que ocorre quando um símbolo é encarado em termos concretos. A fome espiritual não foi separada da fome física e o númen que pertence naturalmente ao espírito é projetado na comida.

Como não reconheceu a própria sombra nem desenvolve o próprio ego, a mulher presa dessa distorção apenas cai no inconsciente. A totalidade que ela busca, a reconciliação que sente momentaneamente, parecem-lhe, à fria luz do dia, grosseiras perversões e, longe de a levarem a um "contato mais profundo com a psique [...] e de enriquecerem [...] as relações com outras pessoas, fazendo-a sentir-se num contato mais completo com a vida", levam-na a sentir que mergulhou no Inferno, alienada de tudo.

O espírito e a natureza opõem-se diametralmente na *puella* e, se estiver apartada dos seus próprios instintos, ela não tem meios para curar essa divisão. Ela se acha, por conseguinte, vulnerável à possessão pelo *animus* negativo. Seus instintos gritam por vida e ela, em seu desespero cego, come vorazmente para satisfazê-los. Se for incapaz de encontrar uma posição egoica e se os seus excessos alimentares a levaram ainda mais profundamente inconsciente adentro, ela cai no reino de Hécate, um reino de existência não humana. Ali, ela terá de devorar o próprio coração.

Somente ao desenvolver o ego e ao aprender a dar valor ao seu próprio sentimento, será ela capaz de construir um núcleo forte o bastante para suportar o conflito de opostos e para levar o sofrimento ao ponto de ruptura. Sua persona confiante deve ser objeto de entrega e sua sombra infantil, integrada. Nos ritos de iniciação, o neófito por vezes era enterrado cerimonialmente, levado à beira da morte e, a partir dele, renascido. De igual maneira, a mulher pode ter de si a experiência de encontrar-se enterrada no túmulo do próprio corpo que ela mesma formou, podendo ser ressuscitada a partir desse mesmo túmulo. Somente por meio da total entrega pode ela experimentar a Graça capaz de salvá-la. Sua cura virá por meio da audição da voz divina que há no seu íntimo, e ela a ouvirá por meio dos seus sonhos e da imaginação ativa com o próprio corpo. Numa cultura em que se tende a esquecer o mundo simbólico, a mulher que orienta a própria vida em torno da comida é particularmente vulnerável à obesidade. Ela faz vãs tentativas de preencher o seu inquietante vazio espiritual com a forma concreta do símbolo. A inquietação se tornará uma constante ansiedade. Em "The Symbolic Life" [A vida simbólica], Jung escreveu:

> Somente a vida simbólica pode exprimir a necessidade da alma — a necessidade diária da alma, vejam só! E como não dispõem de algo desse gênero, as pessoas jamais conseguem ficar livres dessa mó — dessa vida sombria, esmagadora e banal em que não são "nada mais do que". No ritual, elas se aproximam da Divindade; e são até divinas.[104]

A mulher que perdeu o papel de um dos atores do divino drama da vida sente-se alijada "do colo de uma Mãe Todo--Compassiva".[105] Aquilo nela que deveria viver está sozinho; ninguém o toca; ninguém, nem mesmo ela, o conhece; mas ele continua a arremeter, perturbando-a e afligindo-a, sem lhe dar descanso. Em resposta à neta intelectual de um rabino, mulher que sentia um medo abissal, Jung disse:

> Foste infiel ao teu Deus [...] Renunciaste ao mistério da tua raça. Pertences a um povo santo — e o que vives? Não admira que tenhas medo de Deus, que sofras por teres medo de Deus.[106]

Esse medo está presente em muitas mulheres de hoje; com efeito, ele está na raiz do lado fanático do Movimento Feminista americano. Mary Daly, uma das mais francas feministas, rejeitou com todas as forças o seu catolicismo romano com o seu Jeová tirânico. Em *Beyond God the Father* [Para além de Deus Pai], seu ataque ao "espaço patriarcal" é vitriólico:

> A aparência da mudança é, basicamente, apenas separação e retorno – movimento cíclico. Sair do círculo requer raiva, a "ira de Deus" falando ao próprio Deus num impulso orgânico na direção da vida. Como as mulheres lidam com relações demoníacas de poder, isto é, com o mal estruturado, a raiva é necessária como força criadora positiva que possibilite uma ruptura, o enfrentamento dos bloqueios criados por estruturas inautênticas. A raiva surge como reação ao choque do reconhecimento daquilo que se perdeu antes mesmo de ter sido descoberto – a própria identidade. A partir desse choque, podem manifestar-se vislumbres daquilo que um ser humano (oposto a um meio-ser) pode ser. Assim, a raiva pode provocar e manter o movimento que vai da experiência da insignificância para o reconhecimento da participação no ser [...] Quando as mulheres dão passos positivos no sentido de saírem do espaço e do tempo patriarcais, há uma eclosão de vida nova.[107]

Sua própria amargura sugere alguma profunda irritação pessoal, algum opressivo medo pessoal, alguma brutal expropriação da sua própria natureza feminina.

Esse mesmo anseio constante apareceu repetidas vezes nas afirmações das mulheres que participaram do experimento: "Sei que, se estivesse bem com Deus, estaria bem com o meu corpo"; "Não posso crescer na vida do espírito enquanto não crescer para amar o meu corpo". A ligação íntima entre o alimento físico e o alimento religioso é evidente. Elas anseiam pelo seu "pão de cada dia", mas encaram o símbolo em termos concretos. Cada uma delas crê que a esbeltez física pode de alguma maneira levar à obesidade espiritual. Elas não conseguem perceber que há um espírito que anseia por encarnar-se nos seus corpos e que o relacionamento com esse espírito pode levá-las à percepção do seu próprio Ser feminino. Somente quando elas se rendem a esse espírito seus corpos refletem essa totalidade.

Em vez de buscarem o espírito no exterior, elas devem aprender a ouvir a voz do seu próprio *Self* abandonado, religando-se assim com o seu próprio mistério interior. Só por esse caminho podem elas chegar ao sentimento de pertencerem à vida e sentir a realidade pela qual anseiam.

Essa confusão de espírito e corpo é bem compreensível numa cultura em que o espírito é concretizado em magníficos arranha-céus, em que as catedrais se tornaram museus para turistas, em que se associam mulher, carne e demônio e em que a natureza é violentada a qualquer pretexto deplorável. E o é ainda mais se pensarmos na criança a crescer em subúrbios, vendo o pai somente nos fins de semana, quando este traz o divertimento, enquanto a semana é passada com a mãe disciplinadora. Conclui-se disso, ademais, que, nessa confusão inconsciente entre masculinidade e feminilidade, a garota vai ver no seu corpo não relacionado e balofo o lado sombrio de um deus que se voltou contra ela. Quanto mais o combate, tanto mais é por ele consumida e tanto maior é o seu medo da aniquilação. Fazer dieta com uma inflexível força de vontade é a rota masculina; fazê-lo com amor pela própria natureza, a feminina. Sua única esperança real é cuidar do próprio corpo e ter dele a experiência de recipiente por meio do qual o seu *Self* pode renascer.

O grande perigo que a mulher obesa corre é o deslocamento de um instinto para o outro. O júbilo de Eros é rejeitado pela avidez de Hécate na cozinha. O anseio sexual de totalidade é redirigido para a comida e o êxtase de comer incorpora as conotações emocionais da sexualidade e da religião. O comer até que o ego caia no inconsciente torna-se uma paródia do orgasmo; por trás disso, está o forte desejo de libertar-se da tensão na paz, no sono e até na morte.

A mulher que não se encontrou em seu próprio corpo depende de um homem que a ajude a nascer nesta terra, inclinando-se, por conseguinte, a projetar o *Self* no homem que ama. Eis que a sexualidade se torna demasiado carregada de conotações espirituais. Quando fé e amor são sinônimos, a mulher projeta Deus no seu homem, apenas para ser testemunha do colapso dessa ponte que não foi construída para suportar esse peso. Siga a rota que seguir, ela terá de encontrar o seu próprio Deus dentro de si mesma.

Conclusão

Como se inter-relacionam esses cinco complexos? Todos têm uma coisa em comum: a perda do ego feminino. Virginia Woolf escreveu que as mulheres são condenadas pela sociedade a refletirem os homens com um tamanho duas vezes maior que o real. Essa situação mudou em alguma medida, mas permanece o fato de que a maioria das mulheres só sabe ser feminina com relação a um homem. Como o assinalou Jung:

> Enquanto se contentar em ser uma *femme à homme*, a mulher não tem identidade feminina. É vazia e apenas brilha – um veículo acolhedor das projeções masculinas. A mulher como personalidade, contudo, é outra história; aqui, a ilusão já não funciona.[108]

Surge a triste questão: "O que uma mulher sem feminilidade vê no rosto de uma mulher semelhante? O que uma filha destas vê no rosto de uma tal mãe?". Está claro que a única coisa que ela pode ver é a rejeição, talvez combinada com um desafio ou com um cinismo sutis. Com muita frequência, esse abismo é reforçado pelo desprezo inconsciente do pai por tudo o que é essencialmente feminino. Assim sendo, a garota incorpora um sentimento de culpa inconsciente por ser o que é. Seu autossacrifício pode levá-la a tentar encontrar sua realização no mundo masculino e, ao mesmo tempo, a ser escrava de todos os homens da sua vida. A enorme alegria do "EU SOU" ela não conhece, nem a pode encontrar com outras mulheres.

Os mistérios femininos de antigas culturas estabeleceram entre as mulheres um vínculo eterno – vínculo esse que as tornou orgulhosas de serem parte de uma corrente vital que flui através delas. Esse vínculo, ou o seu equivalente moderno, é o que as mulheres conscientes da nossa cultura hoje procuram restabelecer.

Capítulo V

A Redescoberta do Feminino

> O dogma da Assunção de Maria é na verdade uma aceitação da matéria; trata-se na realidade de uma santificação da matéria. Se analisasse sonhos, você o compreenderia melhor.
>
> – C. G. Jung Speaking*

Meu estudo da obesidade como sintoma psicossomático em determinadas mulheres levou à percepção de que a obesidade e a anorexia nervosa são os polos opostos de uma neurose. O conhecimento de que os governos vêm gastando milhões de dólares em dotações de pesquisa para ambas as enfermidades fez-me investigar suas implicações sociais com mais cuidado.

Nos países ocidentais ameaçados por essas síndromes, o feminino vem sendo desvalorizado há séculos e se acha profundamente

---

* William McGuire e R. F. C. Hull, C. G. *Jung: entrevistas e encontros*. São Paulo: Cultrix, 1977. (Fora de catálogo).

distorcido em nossos dias. Na pessoa acometida por esses quadros patológicos, o feminino é objeto de medo e de rejeição. Gorda ou magra, ela é uma mulher da sua época. Seu corpo rejeitado é o epítome da atual alienação do feminino e sua obsessão com o "pão de cada dia" não passa de uma manifestação cultural da busca desesperada de sentido espiritual.

A maneira de a obesa e de a anoréxica retornarem ao feminino não difere da de qualquer outra mulher. A sociedade como um todo tem de encontrar a deusa perdida. Jung acentuou a importância do dogma da Assunção da Virgem Maria como uma aceitação da matéria; com efeito, no trecho citado como epígrafe deste capítulo, ele diz ser esse dogma uma "santificação da matéria". Mas o que significa sentir os nossos corpos como matéria sagrada? O que significa extrair a psique da matéria e depois usar essa *aqua permanens* para reanimar o corpo "morto" e extrair outra vez a alma?[109] A resposta pode estar implícita na nossa anatomia e, por paradoxal que pareça, ser mais misteriosa do que a maioria de nós percebe.

Os poderosos Movimentos Feministas ocidentais reivindicam reconhecimento; mas, com demasiada frequência, sua abordagem é uma mera paródia da masculinidade. Muitos milhares de mulheres estão se opondo aguerridamente ao domínio patriarcal; muitas outras comemoram os novos direitos das mulheres que os governos estão sendo obrigados a reconhecer. Muitas outras sentem-se perdidas; elas ficam abismadas com a agressividade das líderes feministas militantes, mas reconhecem em si mesmas alguma espécie de profundo vazio. Tentam ser boas esposas, boas mães e boas profissionais. Mas algo está faltando.

Elas não sabem como ser fieis à sua própria feminilidade. Não há uma comunidade feminina com a qual possam relacionar-se; reuniões regadas a café não são uma resposta, nem o é comer e beber em segredo. Se, no entanto, entendermos esses atos sub-reptícios como impulsos instintivos distorcidos voltados para a totalidade, podemos descobrir o impulso natural que se oculta nessa distorção.

Os excessos alimentares sempre incluem a ingestão voraz de cereais, doces e derivados de leite. Bolos de trigo e mel foram o alimento sacrificial de Dioniso. O ato de mergulhar o animal no leite era parte do ritual. Será o "beliscar" algum estrato arcaico da psique que exige a união com os deuses e deusas da terra? Essa interrogação levou-me a um estudo mais cuidadoso dos Mistérios Dionisíacos, na esperança de compreender de que maneira as mulheres de culturas anteriores integravam sua besta selvagem e permitiram o florescimento da sua própria feminilidade. Esse estudo me levou a uma compreensão mais clara da relação entre os Mistérios e a "santificação da matéria" no dogma da Assunção. Essa relação é o ponto fulcral da discussão deste capítulo final.

O CULTO NOS MISTÉRIOS DE DIONISO

A "loucura" dionisíaca inerente ao ato compulsivo de comer pode ser uma moderna expressão daquilo que se conhecia antigamente como "possessão", e numa época mais recente, como "histeria". Como sugeri, podemos vê-la também como uma forma de enfeitiçamento. (Diz-se que Dioniso tinha aversão ao olhar da coruja.) Em nossa cultura, em que o feminino é denegrido, em que os instintos religiosos extáticos que vêm do corpo são considerados perversos e em que a esbeltez a qualquer preço se tornou um deus, a natureza se vinga. O deus feminino cujas necessidades já não são reconhecidas como requisitos da saúde psíquica exige o próprio reconhecimento por meio de distorções somáticas. O deus da natureza deixa de ser um espírito e se apossa da mulher como se fosse um animal autônomo. A gordura, e não o sexo, é tabu na nossa cultura, tendo sido incorporadas a elas conotações maléficas e de cunho moral. A reticência em falar do peso real foi evidenciada com clareza pelas mulheres que participaram do Experimento de Associação. "Peso?" – era uma pergunta-tabu, respondida quase sempre por "O lado errado dos 87" ou por algum outro eufemismo.

Paradoxalmente, a mulher que anseia por ser magra incorpora as características físicas de Dioniso. Esse deus era ímpar pelo fato de, embora masculino, ter como seguidores, principalmente, mulheres. Em termos essenciais, era andrógino – um deus bissexual no qual estavam unidos o masculino e o feminino.[110] Se considerarmos outra vez os complexos associados com o ato compulsivo de comer e reconhecermos a intensidade da "loucura" nele envolvida, poderemos ver a implacável agressividade masculina combinada com a passividade feminina cheia de anseios, com o desejo de união na paz da totalidade. Esse sintoma pode ser a cruz que milhares de mulheres se veem obrigadas a carregar por não perceberem o deus andrógino que se esforça por chegar à consciência.

Dioniso não pode vir a ser consciente por meio da mente. A abordagem racional da obesidade mostrou-se inútil para incontáveis mulheres. Conscientemente, elas podem compreender por que são levadas; inconscientemente, suas ações resistem à mudança. O deus exige reconhecimento e, querendo ou não, elas têm de pagar o seu débito para com ele. Suas contrapartes gregas e romanas, esposas e mães de uma cultura também patriarcal, se entregavam a uma iniciação dionisíaca para encontrar sua essência feminina com relação ao seu próprio espírito masculino interior.

Os Mistérios Eleusinos

Nos Mistérios Eleusinos, os participantes, imitando a deusa lamentosa, Deméter, jejuavam no caminho para Elêusis, local de descoberta de Cora. Os anseios e lamentos espirituais não eram confundidos com a fome física pessoal. Além disso, Perséfone, ao separar-se da mãe, foi proibida de comer no Mundo Inferior; mas, como provou uma romã quando estava com Hades, ela jamais conseguiu voltar totalmente para a mãe.

A aceitação da rejeição da comida é simbolicamente essencial para todas as religiões. "Repartir o pão" com o deus é estar em comunhão com ele; ter fome é estar só, buscando e preparando o seu advento por meio da purificação. As Mênades, nos antigos ritos órficos, imitavam os Titãs ao fazerem em pedaços Dioniso-Zagreu, representado por um animal. Dioniso era devorador e devorado, porque, quando elas partiam-lhe a carne, ele as estava devorando. Mas quando é capaz de participar da "ingestão do deus" como um sacrifício transformado em sacramento, a mulher já não age a partir da paixão cega, visto que reconhece conscientemente sua própria natureza titânica; então, o deus a preenche com o alimento sacrificial, libertando-a assim da sua própria selvageria.

Somente quando é recebido no estômago dessa maneira sacrificial pode o deus ser engolido e incorporado ao nosso próprio ser. Engolir comida é um êxtase animal; um animal, contudo, não pode digerir o significado do deus. Por terem despedaçado Dioniso, os Titãs foram atingidos por um raio de Zeus; das suas cinzas, foram criados seres humanos. Quando o instinto é libertado da sua avidez titânica, *lykos*, a luz da alma, fica livre para perseguir seu alvo religioso. A coroa de louros que a iniciada dionisíaca levava simbolizava sua inclinação natural para o crescimento espiritual.

Deméter, na qualidade de Grande Mãe Terra, conferiu a imortalidade ao filho do rei mítico de Elêusis. Como ama do bebê Demofonte, ela o colocava toda noite numa manjedoura de fogo, tornando-o assim uma criança divina. Toda mulher que participava dos mistérios tornava-se ama do bebê nascido nas profundezas do Mundo Inferior. A imortalidade é uma das dádivas de Deméter, assemelhando-se essa imortalidade à da semente:

> A figura da semente é, em essência, tanto a origem como o fim, tanto a mãe como a filha; e o é precisamente por apontar para além do indivíduo, alcançando o universal e o eterno. É sempre a semente a afundar na terra e a retornar; sempre a semente a segada em dourada plenitude e que, no entanto, como semente robusta e saudável, permanece inteira mãe e filha em uma só.[111]

Durante os ritos, depois da busca e do casamento sagrado, as tochas brilhavam, apresentava-se o "filho" e o hierofante exclamava: "a grande deusa deu à luz um filho sagrado; Brimo gerou Brimos". (O Forte deu origem à Força.) Kerényi assinala que o filho só pode ser a filha renascida de Deméter, mas não é o nascimento de uma Cora que se proclama, mas o de um garoto divino. "Brimo não é *apenas* Deméter como personagem distinta de Perséfone; é o par indiferenciado mãe-filha. O filho também é indiferenciado – é somente *aquilo* que nasce, o fruto do nascimento."[112] Uma espiga moída era apresentada, em *silêncio*, e os participantes tomavam consciência de que "a continuidade da vida na unidade de donzela, mãe e filho, um ser que morre, dá à luz e volta à Vida".[113]

Deméter ora identificada com a semente, que nunca morre mas cresce a partir da terra de maneira contínua. Deméter é, pois, uma imagem biológica do arquétipo do *Self*. "O *Self*", disse Jung,

> é um *conceito fronteiriço*, que de maneira alguma é substanciado pelos processos psíquicos conhecidos. Inclui, de um lado, os fenômenos da sincronicidade; do outro, é um arquétipo incorporado à estrutura cerebral, sendo fisioiogicamente verificável: por meio da estimulação elétrica de uma certa área da base do cérebro de um epilético, é possível produzir visões de mandalas (*quadratura circuli* [a quadratura do círculo]).[114]

Quatro é o duplo feminino, símbolo do objetivo do processo de individuação. Três é o número masculino, símbolo do processo em si. Três é também o número de Hécate e do Mundo Inferior. Muitas mulheres de hoje parecem ter perdido o contato com o lado instintivo do arquétipo psicoide, tendo esse lado voltado para a caverna de Hécate. Aquilo que a iniciada em Elêusis passava a conhecer raramente é reconhecido em nossos dias como consciência feminina. "Os símbolos do Self", escreveu Jung,

> surgem nas profundezas do corpo, exprimindo sua materialidade tanto quanto a estrutura da consciência que percebe. O símbolo é, portanto, um corpo vivo, *corpus et anima*; eis por que o '"filho" é uma fórmula tão adequada para o símbolo.[115]

As palavras de uma nobre abissínia revelam o elevado grau de relação intrínseca entre o corpo feminino e essa imagem arquetípica:

> A partir do dia em que conhece seu primeiro amor, a mulher se transforma. Isso continua a ocorrer por toda a sua vida. O homem passa a noite com a mulher e vai-se embora. Sua vida e seu corpo são sempre os mesmos. A mulher concebe. Como mãe, ela é uma pessoa diferente da mulher sem filhos. Ela traz o fruto da noite em seu corpo durante nove meses. Alguma coisa se desenvolve. Desenvolve-se em sua vida algo que jamais se vai. Ela é mãe. É e permanece mãe mesmo que o filho morra, mesmo que lhe morram todos os filhos. Porque, num

certo momento, ela trouxe o filho sob o próprio coração. E ele jamais lhe sai do coração. Mesmo quando morre. Tudo isso o homem ignora; ele nada sabe. Ele não sabe a diferença entre o amor e o depois do amor; entre antes e depois da maternidade. Ele nada pode saber. Somente uma mulher pode saber disso e falar sobre isso. Eis por que não queremos que nossos maridos nos digam o que fazer.[116]

Toda mulher, saiba ou não disso, traz em seu corpo "o fruto da noite". Esse fruto pode não ser um filho real, mas, por exemplo, uma imagem biológica do *Self* – isto é, o filho como potencial. Os "processos psíquicos conhecidos" foram até há pouco tempo um produto da consciência masculina. Mas as raízes fisiológicas do processo pertencem ao modo feminino de ser, sendo provável que essas raízes tenham sido o objeto da celebração em Elêusis. Hoje, esses mistérios permanecem no corpo feminino e a mulher que toma posse do próprio corpo num nível consciente é iniciada outra vez neles.

A Vila dos Mistérios em Pompeia

Na Vila dos Mistérios, em Pompeia, oito afrescos revelam a iniciação dionisíaca de uma culta matrona romana.[117] Eles têm especial interesse para nós porque retratam uma mulher que vivia na Roma Imperial, numa cultura semelhante à nossa, na qual a natureza feminina deve ter sido ameaçada pelo seu desenvolvimento masculino consciente.

Os afrescos se baseiam no mito de Ariadne, que foi noiva de Dioniso, mas o abandonou ao apaixonar-se por Teseu, o herói-sol ateniense, com o qual fugiu. Na ilha de Naxos, este a deixou enquanto ela dormia. Quando se deu conta do que sucedera, ela tentou cometer suicídio jogando-se nos braços da Morte, mas esta era, na verdade, Dioniso, que surgiu do mar e consumou com ela um casamento de amor. Dessa maneira, Ariadne experimentou o poder transformador do êxtase da união com o espírito e, ao mesmo tempo, o êxtase da rendição ao fluxo instintivo da vida.[118]

A iniciada provavelmente tinha a experiência do mistério do deus numa passagem subterrânea da Vila. Esse mistério lhe era revelado como uma criança divina em forma de falo, um objeto ritual posto numa peneira de joeirar, tradicionalmente o berço do deus, que mais tarde renasceu como o deus do instinto, da morte e da fertilidade. Esse mistério simbolizava uma entrega interior que permitia à mulher a experiência da sua mais profunda potencialidade erótica.

Ariadne era irmã do Minotauro. Em sua fuga unilateral na direção da consciência, ela rejeitou suas próprias Trevas Dionisíacas, mas foi sabotada pelo poder inconsciente mais profundo que nela habitava. Somente ao renunciar a todo desejo pessoal e, em sua solidão e desespero absolutos, ao render-se ao que julgava ser a morte, Ariadne experimentou o casamento de amor com o deus – a união do divino e do humano, do masculino e do feminino –, bem como a transformação por ele propiciada.

Paradoxalmente, a mulher toma consciência de si mesma como indivíduo num encontro impessoal, visto que, na experiência religiosa, reconhece a si mesma como parte da Vida. Ao mesmo tempo, torna-se consciente do deus que nela habita e se torna uma mãe para ele. Essa rendição à Morte é crucial para a mulher, pois tudo o que há em sua natureza requer que ela se relacione com a Vida, com o homem a quem ama, com os filhos. Entregar-se ao espírito parece uma rejeição da Vida, uma recaída no abrigo negro. Mas esse é o sacrifício que ela tem de fazer se quiser encontrar seu próprio deus interior.

O sétimo afresco da Vila dos Mistérios mostra a iniciada depois da experiência impressionante do mistério na passagem subterrânea (Figura 5).[119] Ela se ajoelha como se desejasse ocultar a peneira de joeirar que parece ter trazido consigo ao voltar, mas um anjo de asas negras intervém com um açoite. Esse quadro parece revelar um momento crítico da individuação de uma mulher, aquele em que a experiência do deus interior a deixa com uma inflação que lhe permitiria revelar o mistério; mas esse mistério, uma vez revelado, perde seu poder e passa a ter um caráter banal. Uma intensa experiência do deus não pode ser compartilhada em palavras.[120] O falo sugere decididamente que o espírito criador masculino da mulher se manifesta na sexualidade, seja na união física real ou na experiência da união com suas próprias profundezas corporais. O anjo, Espírito Santo feminino, não vai permitir que ela revele o seu segredo.

Ela participa desse segredo, em silêncio, no oitavo afresco. Neste, ela está ajoelhada, em desespero, com a cabeça repousando no regaço de uma mulher iniciada antes dela, que vigia o anjo prestes a vibrar o açoite (Figura 6). Esther Harding, em

Figura 5. A iniciada com a peneira de joeirar.
(Afresco da Vila dos Mistérios, Pompeia)

The Parental Image [A imagem parental], comenta, acerca desses dois últimos afrescos:

> Em seu retorno para a câmara superior, ela deve ser purgada por meio do castigo de todo o sentimento de posse com relação ao mistério de que participou. Dessa maneira, alcança a sua verdadeira condição de mulher. Trata-se de uma experiência emocional, e não de um aumento da compreensão intelectual consciente – que é o caso do homem.[121]

Isso significa, em termos psicológicos, que a mulher não se atreve a se identificar com a imagem arquetípica do *animus*, pois se o fizesse cairia em seu poder e se tornaria vulnerável ao seu lado negro. Seu sofrimento reside no fato de, tendo conhecido o divino, vê-lo apartado outra vez de si. Ao aceitar sua impotência puramente humana, ela se abre à redenção. O estágio final do processo de iniciação é personificado pela mulher do último afresco (Figura 9).

A mulher que fracassa em fazer essa diferenciação na caverna de Hécate tira a criança divina do fogo da manjedoura e assim equipara o processo com o seu próprio poder e não com um poder impessoal que age através dela. Uma mulher dessas torna-se uma "bruxa", correndo o risco de matar o próprio filho. Como não separa o ego do *Self*, ela cai em inflação. O loureiro morto torna-se um cabo de vassoura da pior espécie, pois é o falo removido que ela reclama como seu. Quando passa a ser a amante possessa do filho, a mãe o reabsorve em seu próprio ser biológico. Em vez de retornar à sua própria humanidade, ela toma posse do símbolo da sua divindade como mãe-deusa. Então, o filho se transforma num "sacrifício" a ela, da mesma maneira como Adônis foi sacrificado a Vênus, mantendo-se como um deus da vegetação (o inconsciente), aprisionado a ela para sempre.

A mulher deve distinguir-se tanto do instinto como do espírito; do contrário, tentará possuir um ou outro e terminará por ser possuída. Tendo experimentado o *Self*, por meio do reconhecimento e da aceitação dos opostos, ela pode ficar conscientemente à vontade em sua própria condição de mulher e permitir que a Vida venha a ela por meio do seu próprio Ser. A vida começou para Ariadne quando ela aceitou a Morte – a morte das suas próprias esperanças e ansiedades pessoais.

A DANÇA

A mulher moderna não pode voltar aos Mistérios Dionisíacos, mas deve fazer a jornada para as sombrias regiões inferiores e retornar delas. Também ela deve experimentar a luz que está em sua própria escuridão. De alguma maneira, ela tem de encontrar outra vez o sagrado mistério que existe no seu próprio corpo, reverenciando-o como algo sagrado e como um mistério. A dança é um modo prático de ouvir o próprio corpo.

Uma das mulheres que participaram do experimento descobriu sua rota dionisíaca quando, tal como Ariadne, foi atingida por uma Graça que se abateu sobre ela como uma formidável tragédia. Ela desejara um filho durante anos, mas sua vida ativa dirigida pelo *animus* não lhe dava tempo de se relacionar com o

Figura 6. A iniciada, em desespero, protegida por uma mulher que já passou pelo processo.
(Afresco da Vila dos Mistérios, Pompeia)

seu lado feminino. Por fim, concebeu e levou a gravidez a termo, mas a criança morreu pouco antes de nascer. Ela ficou inconsolável e mal podia falar. No início, sequer chorava. Ela começou a análise e, ao mesmo tempo, passou a frequentar aulas de dança criativa. No seu diário, ela escreveu:

> Dança – ó, Deus, como estou feliz por tê-la! Ela, mais do que qualquer outra coisa, vai unir a minha mente e o meu corpo. Se o corpo é o inconsciente, talvez eu possa expulsar esse pesar com a dança, da mesma maneira como se pode exprimir a alegria. A dança faz a mente voltar-se diretamente para o corpo. A mente deve pensar – e sentir – em cada parte do ser humano, e talvez possa, desse modo, libertar ou trazer à consciência o pesar que há em mim...
>
> Tenho pensado no conceito do núcleo de cada pessoa. Minha dor está aí. Não há nele pensamento racional – ele apenas existe. É o ponto em que, no tai chi, tem origem a fonte de energia. Nele o dançarino respira e dá alma ao movimento da dança. Por estranho que pareça, é nele que o feto se desenvolve. Mal começo a identificar outra vez o meu centro. Lembro-me de que, quando estava grávida, eu não podia me exprimir por meio do movimento. Não havia alma – outra pessoa, o bebê, tinha ocupado o meu núcleo... Preciso dançar porque, quando danço, eu sou. Num gesto, posso sentir a agonia e a alegria. Na dança, eu vivo.
>
> Onde está o meu centro? Graças a Deus pela dança. Descobri aos poucos o núcleo; a energia e a alma da minha dança voltaram. Tendo eu encontrado o centro físico, a dança e a

minha felicidade tinham certa substância. Então, aproveitei os recursos interiores para encontrar o *Self* da minha mente. O centro do corpo, que considero o meu verdadeiro centro, envia energia espinha acima, como uma centelha destinada a deixar a mente incandescente... Torno-me o movimento, a agonia desaparece; substituída pela alegria – um impulso de florescimento.

A dança dá forma ao sentimento. Exprime a experiência onde as palavras não alcançam. Na dança, o racional e o intuitivo passam a fluir livremente um para o outro. A dança invoca o corpo inteiro. O dançarino despe totalmente a própria alma à forma e ao sentimento. Internalizo cada movimento e tento conectá-lo com a respiração. O corpo se movimenta porque tem de fazê-lo para sobreviver. A experiência pessoal de reunir recursos interiores num centro pleno produz uma explosão de energia. A agonia que sinto antes de dançar desaparece – como se a vida estivesse passando por dentro de mim. Torno-me um condutor do espírito universal. Eis o processo de nascimento – a vida passa por dentro de mim. É por isso que a dor se vai quando danço, pois, na dança, crio. Volto a ser parte da força vital. A dança está me dançando.

No decorrer de um período de oito meses, a dança levou a jovem a uma relação consigo mesma que, de tão profunda, capacitou-a a aceitar como um sacrifício vivo o seguinte sonho:

> Estou parada à luz radiante do sol. Carrego o meu bebê. Ele tem uma faca de ouro no Coração. Parece que não me incomoda

saber que ele está morto. Não há raiva. Meus braços estão estendidos como se eu o estivesse oferecendo a Deus.

Ela não tinha raiva porque os meses de reclusão e de sofrimento a tinham levado a perceber que o filho tivera de ser sacrificado para que o seu próprio *Self* nascesse.

Intuitivamente, ela sentira que a criança que tinha sob o coração era um menino. Inconscientemente, projetara o sentido de toda a sua vida nessa criança, que a redimiria dos seus instintos, bem como da culpa e do temor esmagadores a eles associados. Os anos em que fora dirigida por um Jeová tirânico culminaram no sacrifício do seu primogênito. Esse sacrifício a levara aos braços da Morte e às profundezas mais recônditas da sua natureza feminina, onde ela encontrara a luz do seu próprio Ser. Essa luz aparecia em seus sonhos em imagens que constituíam um exato paralelo das suas experiências físicas; assim, ela pôde reconhecer e integrar conscientemente o conflito psique-soma que a mantivera estéril por tanto tempo. E ela então foi capaz de liberar a sua própria energia instintiva, tornando-a disponível, em termos espirituais, como uma força vital.

Tão logo foi capaz de aceitar o próprio sacrifício como parte da Graça que fez nascer o seu próprio *Self* feminino, ela concebeu e deu à luz uma menina. Mantendo o equilíbrio entre psique e corpo, ela conseguiu reconhecê-los como divinos e construir o seu próprio ego no relacionamento com eles, renunciando ao mesmo tempo às exigências do seu ego.

Esse conceito de dança me parece crucial, visto que, embora a música e a dança sejam, desde o começo dos tempos, parte importante da vida das mulheres, poucas mulheres de hoje, especialmente as do tipo intuitivo e sentimental, sabem alguma coisa acerca de "tornar-se a dança". Sua consciência altamente desenvolvida permite-lhe o prazer da dança social, mas elas ficam aterrorizadas com a ideia de se entregarem às próprias emoções e à música para experimentarem suas próprias profundezas. Esse salto no inconsciente é, contudo, o próprio elo que as pode vincular com a força vital.

As palavras não se prestam a exprimir a paixão intensa, mesmo quando a linguagem assume sua forma mais simbólica. Além disso, as palavras podem ser perigosas para a mulher porque tendem a enclausurá-la num reino pessoal e num domínio da formulação masculina de ideias. Quanto mais ela fala, tanto mais sua voz interior diz: "Não é nada disso".

A música a transporta para uma dimensão não pessoal, para um mundo que lhe fala diretamente ao coração, e não à cabeça, mundo no qual ela pode experimentar a totalidade e a harmonia. Em consequência, ela pode tomar consciência da sua própria natureza animal sem identificar-se com ela. Não se está recomendando que as mulheres retornem à dança primal. Sugere-se, na verdade, que a música e a dança criativa é um dos mais seguros caminhos para levar a consciência aos músculos esquecidos. O diálogo com o próprio corpo é uma forma de imaginação ativa.

A dança é uma maneira de levar oferendas de bolos de trigo e de mel à serpente que se posta atrás do altar e de, por meio desse sacrifício, trazer a libertação e a purificação. Com uma atitude bem consciente para com esse processo, a mulher pode experimentar a cobra como geradora e gerada. Na dança, ela pode renunciar à possessividade do ego e vivenciar o corpo como um recipiente por meio do qual o poder divino pode fluir. Logo, ela pode vivenciar a si mesma de modo completamente diferente; em termos literais ela é transformada. Seu corpo pode vir a ser a peneira de joeirar por intermédio da qual ela experimenta o mistério. Só então ela fica livre para amar, livre para ser um canal para o fluxo de Eros.

O CRISTIANISMO E O FEMININO

As mulheres atuais precisam descobrir os ritos que tomam a forma exigida pelo nosso atual estágio de consciência. Os arquétipos são, em si, intemporais e incognoscíveis. Conhecemos pela experiência direta as imagens por eles assumidas na temporalidade. Embora os arquétipos permaneçam, as imagens arquetípicas se transformam e passam. Ao nos tornarmos desvinculados do passado devido à inevitável decadência das suas imagens, somos obrigados a encarar a nossa própria experiência de nós mesmos como um mistério. Somente por meio de uma crescente consciência da nossa própria alienação de nós mesmos chegamos a aceitar a necessidade de mergulharmos no caos aparente. A experiência de dar à luz a si mesmo (como a dançarina teve de fazer antes de poder dar à luz o próprio filho) é essencialmente a experiência de Deméter ao mergulhar a criança na manjedoura de fogo.

O Sonho de Katherine com a Serpente Coroada

Os sonhos das mulheres modernas sugerem a iminência de uma nova consciência. O sonho de Katherine com a serpente (no Capítulo II) revelou uma força sombria e desvinculada em sua psique. Um dos seus sonhos ulteriores revela uma transformação na serpente e a possibilidade de um recomeço:

> Encontro-me numa profunda caverna subterrânea. De súbito, surge uma serpente com uma luz brilhante coroando-lhe a cabeça. Percebo que a coroa é um olho vivo. A serpente vai coleando alegremente por uma sombria passagem sinuosa e eu a sigo. Chegamos a uma câmara de pedra que tem uma prateleira de pedra escavada na parede [Figura 7]. Há dois livros antigos na prateleira. A serpente me acena para que eu pegue um deles. Pego o mais próximo, intitulado *As Sete Crônicas do Mundo Ocidental*; mas, quando tento abri-lo, a serpente golpeia minha mão com a cabeça. Uma voz diz: "Esse acabou. O outro é para você". Tomo-o nas mãos, mas não o abro, pois sua esmagadora mensagem vem até mim através da capa. Esta tem cor de alfazema, tendo primorosamente gravado em sua superfície um campo de flores e de vinhas. No campo, há uma cruz de um lado ao outro e, no centro, um olho vivo que me olha nos olhos. É como se a sabedoria das eras contidas no livro penetrasse o meu próprio Ser por intermédio do coração do olho. Desperto, sentindo que estive na presença do Oitavo Olho, o Olho de Deus [Figura 8].

Figura 7. A serpente coroada com os dois livros antigos.
(Original colorido, pintado pela sonhadora)

Figura 8. O Oitavo Olho.
(Original colorido, pintado pela sonhadora)

Esse sonho sugere um novo ciclo, que pode ser interpretado tanto num nível pessoal como num nível coletivo. A serpente, agindo como psicopompo, guia com seu olho iluminado, por entre as trevas, até um livro que tem o mesmo olho. A cobra negra que porta a luminosa luz sugere uma reconciliação de opostos, reconciliação entre o ctônico e o espiritual; a iluminação vem da treva da caverna; o novo livro está coberto de guirlandas e de vinhas.

A cobra indica que o poder divino que traz a cura vem do segundo livro, *As Sete Crônicas do Mundo Ocidental* não é para a mulher. Seria isso uma sugestão, no nível coletivo, de que a consciência patriarcal e a sua devoção racional ao progresso material devem ser transcendidas? Katherine associou o Oitavo Olho com o Livro do Apocalipse (10:4):

> E quando os sete trovões fizeram ouvir suas vozes, eu ia escrevê-las, quando ouvi uma voz do céu que me dizia: Guarda em segredo o que disseram os sete trovões e não escrevas.

A serpente é um espírito da terra cujos movimentos sinuosos mantêm mesmo assim um curso central. Em termos simbólicos, podemos interpretá-lo como um equilíbrio entre consciente e inconsciente, do ponto de vista físico e psíquico. Em suas associações, Katherine disse:

> O mundo ao qual eu vinha sendo fiel – a religião convencional, o sentimento convencional – me mantivera mentalmente aprisionada, apegada de maneira compulsiva a um Jeová Deus que eu jamais reconhecera como tal. A serpente é uma figura de

Cristo que me obriga a alcançar a libertação dessas compulsões, forçando-me a assumir a responsabilidade pelo novo livro. Cristo veio para nos livrar da lei e para nos libertar no espírito, mas eu nunca soube o que isso significa até sentir o poder daquele Olho. Aquela Presença tirou de mim toda a pressão.

A serpente é, na verdade, o guardião do "tesouro difícil de obter". Seu Olho parece conservar o segredo da sua vida, vinculando-a com seus próprios processos vitais mais profundos. Jung assinalou que "as emoções não são destacáveis como as ideias e os pensamentos, pois são equivalentes a determinadas condições físicas e, portanto, estão profundamente enraizadas na pesada matéria do corpo".[122] Por meio do olho, Katherine é religada com essas emoções e, portanto, com o corpo. Assim, seu espírito é reconhecido e libertado.

O poder de síntese do inconsciente é bem ilustrado nesse sonho. A serpente coroada é uma imagem andrógina: o feminino elemental é simbolizado pelo seu negrume, mas a coroa iluminada, o Olho, sugere o psicopompo masculino que leva ao Eros transformador no Oitavo Olho. Em última análise, o seu ego feminino está rompendo a sua identificação com a consciência patriarcal e descobrindo sua própria relação consciente com o princípio feminino de Eros.

Implicações Culturais

Aquelas de nós que ainda tentam se relacionar com as raízes da nossa cultura por intermédio do mito cristão devem perguntar a si mesmas se a religação com o princípio feminino não transformaria em alguma medida a nossa atitude consciente para com os símbolos cristãos.

Jung via a aceitação do dogma da Assunção da Virgem Maria como um importante passo à frente no cristianismo. Maria, na concepção da Igreja, desempenha uma função semelhante à de Deméter/Perséfone nos Mistérios Eleusinos. Ela é aquela que, como virgem,[123] se entrega a um poder não pessoal e dá à luz um filho divino. Ela permite que o seu corpo seja usado como veículo para a concepção e o nascimento. Essa imagem arquetípica ocupa o centro da festa natalina, mas é, para a maioria dos cristãos, uma imagem projetada e, portanto, exterior. Como eles não têm experiência do numimoso, a religião deixou de ter uma posição central em suas vidas. Sem a experiência espiritual feminina de entrega, concepção e parto (nos homens e nas mulheres), o vínculo humano que nos liga às nossas raízes psíquicas mais profundas se perde. A modalidade feminina é o ambiente em que a Encarnação é possível – por seu intermédio, o espírito pode ser recebido e nascer na carne. Dessa maneira, toda a personalidade é transformada através da resposta emocional intensa.

Não se trata da aceitação passiva que se submete a deixar as coisas acontecerem – isso apenas leva ao sofrimento masoquista; trata-se, de fato, de uma resposta feminina aberta a um momento de afirmação da vida, um SIM feminino total, que requer, para ser dito, toda a coragem, toda a fé e todo o amor que se tem. Nesse momento, a mulher é sujeito e objeto, pois se abre voluntariamente a ser coberta pela nuvem "do poder do

Altíssimo" (Lucas 1:35). O filho divino que ela traz como resultado dessa união vai fecundar todo o seu Ser.

A mulher que ponderou sobre esse mistério no coração jamais sairá simplesmente da costela de Adão, pois não alcançou sua espiritualidade por meio de uma jornada mental: ela não se limitou à identificação com o seu pai-deus positivo a expensas do seu instinto feminino. Este último tipo de espiritualidade só a pode deixar desvinculada, no essencial, da vida, do seu próprio feminino e, por paradoxal que pareça, da sua própria masculinidade positiva. A genuína experiência espiritual da mulher deve penetrar com paixão o seu corpo, e sua submissão a esse poder produz a nova criação, a nova atitude, para o seu ambiente imediato. O caráter imediato do momento vai exigir a sua flexibilidade, a sua sabedoria e a sua compaixão em cada situação cotidiana. A realidade torna-se significativa por meio da "interseção do momento intemporal" ["the intersection of the timeless moment"].[124]

Em "Women in Europe" [As mulheres na Europa], publicado pela primeira vez em 1927, Jung se refere ao amor da mulher da seguinte maneira:

> Seu amor quer o homem inteiro – não apenas a masculinidade como tal, mas também a sua negação. O amor da mulher não é sentimento, como o é o do homem, mas uma vontade que, por vezes, é terrivelmente não sentimental e que até pode obrigá-la ao autossacrifício. Um homem amado dessa maneira não pode fugir ao seu próprio lado inferior, pois só pode responder à realidade do amor da mulher com a sua própria

> realidade. E essa realidade não é mera semelhança, mas, um retrato fiel daquela natureza humana eterna que une toda a humanidade, um reflexo das alturas e profundezas da vida humana comuns a todos nós [...] as mulheres estão cada vez mais conscientes de que somente o amor pode conferir-lhes pleno valor, do mesmo modo como os homens começam a perceber que apenas o espírito pode dar à vida o seu significado mais elevado. Uns e outros buscam um relacionamento psíquico, porque o amor necessita do espírito, e o espírito, do amor, para se complementarem [...] Aquilo que está bem embaixo não é uma mera desculpa para mais prazer; é algo que temos por exigir a sua participação na vida do ser humano mais completo e mais consciente.[125]

A mulher precisa curar as feridas interiores; para isso, ela precisa do relacionamento psíquico, que só é possível, segundo Jung, "se houver certo distanciamento psíquico entre as pessoas, da mesma maneira como a moralidade pressupõe a liberdade".[126] A ausência de relação leva a um sentimento de inanição espiritual.

> A psique feminina responde a essa fome, pois a função de Eros consiste em unir aquilo que o Logos separou. A mulher de hoje tem diante de si uma tremenda tarefa cultural – talvez isso seja a alvorada de uma nova era.[127]

Os acontecimentos dos últimos cinquenta anos comprovaram a realidade da profecia de Jung. Por infelicidade, o caminho para o feminino seguiu muitas vezes rotas indiretas que buscam se apoderar dele colocando mãos violentas sobre ele. Esses métodos abruptos terminam em violação, visto que a essência do feminino reside em seu mistério, que não devemos nos atrever a violentar, forçando-o a mostrar-se à intensa luz do sol. O feminino termina por revelar o seu mistério sombrio – no momento certo. O período de incubação hoje ocorre em muitas mulheres que, sem se juntarem a grupos de protesto, mesmo assim questionam os seus sentimentos "aprisionados" para descobrirem o caminho da liberdade. Jean Baker Miller, falando das mulheres nos anos 1970, afirma:

> Fala-se muito em nossa época da falta de autenticidade das pessoas. O que não se diz com tanta clareza é que, para a metade da população, a tentativa de ter autenticidade exige um risco claro e direto. Para as mulheres, agir e reagir à sua própria maneira equivale a desafiar a definição [de mulher] que lhes foi atribuída e o modo de vida que lhes foi prescrito. Assim sendo, buscar a autenticidade também envolve criação, de uma maneira pessoal imediata e vigorosa.[128]

Qual o significado da abertura do Oitavo Olho para a compreensão da psicologia da mulher obesa? Jung alegou que, para a psique ocidental, Cristo permanece como imagem primária do *Self* e que a perda dessa imagem teria consequências imensuráveis.[129] Ele vê na crucifixão um dos símbolos centrais do cristianismo, interpretando-a como a luta de Cristo para diferenciar a imagem de Deus do Antigo Testamento, luta prefigurada no

Livro de Jó.[130] Sua *Answer to Job* [Resposta a Jó] continha em si a sua análise daquilo que ele considerava a consciência especificamente cristã. O fracasso no atingimento dessa consciência, mediante a diferenciação entre as imagens de Deus do Antigo Testamento e do Novo Testamento, sugeriu ele, levara a uma psicologia regressiva na qual o sacrifício do filho era encarado como uma submissão voluntária e necessária ao Deus do Antigo Testamento. Ao recusar-se a enfrentar os aspectos negativos do Pai do Antigo Testamento, o Cristo da teologia ortodoxa (visto como um arquétipo) representou a psique aprisionada a um complexo paterno positivo.[131] Nesse contexto, aquilo que os teólogos tinham considerado como um sacrifício passa a ser assassinato e, de maneira mais específica para este estudo, suicídio psíquico.[132]

Para Jung, o significado de Cristo como imagem do *Self* reside na necessidade de viver a vida tão autenticamente como Cristo viveu a sua.[133] Para a mulher obesa, isso significa descobrir a própria feminilidade, o que envolve necessariamente uma dolorosa separação do pai positivo – por meio de um confronto direto com a escuridão deste.

A tragédia da mulher obesa está, de um lado, na perda da sua própria realidade feminina e, do outro, no seu desejo de redimir o Pai ao incorporar a Sua escuridão sem nenhuma compreensão consciente do que faz. Enquanto não reconhecer que está tentando redimir a sua própria vida, ela permanecerá como a vítima. Reconhecer que é a sua própria vida que está em jogo requer dela o reconhecimento de que os pecados dos pais (verdadeiros e arquetípicos) não podem ser incorporados na forma de uma culpa inconsciente sua. Ela deve, em vez disso, abrir os olhos para as trevas que existem no seu interior e assumir a responsabilidade pela sua própria sombra.

Muitas mulheres ainda se acham sob a dispensação do Pai porque, assim como suas mães e avós, aceitaram os valores patriarcais e rejeitaram o próprio corpo e, com ele, a própria sombra. Dessa maneira, evitaram a crucificação mas, ao mesmo tempo, perderam contato com a sua realidade pessoal e com a possibilidade do nascimento da sua própria criança divina a partir da sua própria matéria sagrada. O nascimento espiritual, como o biológico, exige a união dos opostos, e a criança divina nasce da união entre o espírito e o feminino redimido. Na dispensação do Pai não há lugar para a mulher consciente. Esta se acha miticamente enredada no lado sombrio por meio da identificação, via Eva, com a cobra negra.

O poder de cura da cobra foi deixado de lado pela igreja. Quando se põe demasiada ênfase no lado luminoso de Cristo, o lado sombrio, reprimido, assume proporções demoníacas. Historicamente, tende-se a identificar as mulheres com o lado sombrio. Sua salvação, em termos psicológicos, é viver de maneira consciente o processo psíquico simbolizado pela crucificação. O sofrimento da cruz envolve o reconhecimento dos opostos e a integração do lado sombrio.[134]

A mulher que ama de verdade deve aceitar o inevitável sofrimento da cruz; somente a consciência pode redimi-la da desgraça. Essa redenção ocorre por meio de um amor que transcende o seu desejo pessoal. A época do Oitavo Olho é por certo a da saída da cobra negra inconsciente à luz de Eros, na direção da compreensão consciente do amor e do reconhecimento de que o feminino instintivo e o feminino transcendente são, em última análise, um só. A era do Espírito Santo é a era da reconciliação dos opostos.

O lado sombrio de Deus, associado na teologia cristã com o Jeová veterotestamentário, que exige a morte do filho para aplacar-lhe a ira e cumprir o seu sentido primitivo de justiça, torna Satanás e Eva seus inimigos e, ao mesmo tempo, seus aliados.[135] Satanás é um dos filhos de Deus. Em termos junguianos, constitui "o quarto" que transforma a trindade cristã numa consciência quadrúplice. A identificação de Eva com Satanás no mito da Queda atribui à mulher a tarefa de restituir Satanás à sua forma original de Lúcifer, a Estrela da Manhã ou o portador da luz, que é a forma assumida por ele no sonho do Oitavo Olho.

Sem o feminino, Cristo e Satanás devem permanecer como opostos polares. O feminino é o amor que une os irmãos hostis. Ann Ulanov, reconhecendo o papel do feminino no cristianismo, escreve:

> [...] Contrariando a crítica segundo a qual o cristianismo separa o espírito da carne, o reconhecimento do feminino revela ser vital para o amor de Cristo a polaridade sexual que afirma a união entre o espírito e a carne. Opondo-se à crítica de que o cristianismo desvaloriza tanto o ego como a agressividade, o pleno reconhecimento do feminino afirma a função própria de agressividade, servir ao amor.[136]

Isso sugere que o feminino é o veículo do Espírito Santo. Em outras palavras, a mulher é o lado feminino de Cristo quando se reconhece Cristo na sua natureza andrógina de verdadeiro reconciliador que representa em si mesmo o *hieros gamos*.

A consciência, no mito judeu-cristão, vem sendo identificada há muito tempo com o pecado original. Eva, ao identificar-se com a serpente e ao induzir Adão a ceder à tentação de comer da árvore do conhecimento, está, na realidade psíquica, oferecendo ao homem a consciência. Ao fazê-lo, ela o liberta do ventre do Éden. Nesse sentido, em lugar de nascer de Adão, Eva a ele dá à luz. Ela dá à luz o homem, da mesma maneira como Maria a Cristo. Nessa situação paradoxal – Eva como "tentadora" e como recipiente da semente redentora da consciência –, reside o verdadeiro sentido da psique feminina, em que o feminino instintivo (a cobra negra inconsciente que a um só tempo é Satanás e a natureza vegetativa do homem) e o feminino transcendente (Satanás como Lúcifer, como psicopompo, como portador da luz) são uma só coisa.

No curso deste estudo, ficou clara uma resolução da obesidade. Se a pequena coruja, desorientada e enfeitiçada, rejeitar seu papel de filha do padeiro, poderá retirar sua capa de muitas penas e tornar-se "consciente da própria desgraça" ["capable of her own distress"]. Ela poderá então sair de detrás dos olhos patriarcais e reconhecer o mendigo em sua porta dos fundos. Nesse estranho/estrangeiro, ela pode descobrir sua identidade psicológica com Eva e com a Virgem Maria. Sua emancipação está na representação psíquica da sua própria ressurreição física – sua libertação consciente do túmulo a que sua herança a condenou inconscientemente e sua entrada no seu corpo eterno e divino, portador da semente.

Na estrofe final do poema intitulado "Among School Children" [Entre escolares], William Butler Yeats escreve:

> *Labour is blossoming or dancing where*
> *The body is not bruised to pleasure soul,*
> *Nor beauty born out of its own despair,*
> *Nor blear-eyed wisdom out of midnight oil.*
> *O chestnut tree, great rooted blossomer,*
> *Are you the leaf, the blossom or the bole?*
> *O body swayed to music, O brightening glance,*
> *How can we know the dancer from the dance?*

[O trabalho floresce ou dança onde
O corpo não é ferido para agradar a alma,
Nem a beleza nasce do seu próprio desespero,
Nem o saber de olhar cansado do óleo da meia-noite.
Ó castanheiro, florescedor de profundas raízes,
És a folha, és a flor ou és o tronco?
Ó corpo que oscilas com a música, ó relance iluminador,
Como distinguir o dançarino da dança?]

Por tempo demais o corpo foi "ferido para agradar à alma", e a natureza feminina foi negada para alimentar a mente racional. A unilateralidade da espiritualização extrema produziu apenas uma "sabedoria cansada", nascida do "óleo da meia-noite". Não é essa a maneira pela qual a árvore da vida se abre ao fruto da individuação. A consciência tem de compartilhar da natureza orgânica da própria árvore. Deve-se permitir que o "relance iluminador" do Oitavo Olho, o olho da serpente curadora, cujo poder feminino o cristianismo ignorou quase por completo, penetre até suas profundezas mais sombrias. Só então pode o "florescedor de profundas raízes" alçar-se à sua verdadeira altura, oscilar com a sua verdadeira música, dançar a Dança.

Figura 9. O estágio final da transição da adolescência para a condição de mulher. (Afresco da Vila dos Mistérios, Pompeia)

NOTAS

CW – *The Collected Works of C. G. Jung I* [Obras Completas de C. G. Jung].
1. Ato IV, cena V, versos 41-43.
2. Hamlet, org. por G. L. Kittridge, pp. 257-258.
3. A neurose como forma de enfeitiçamento é explorada à exaustão por Marie-Louise von Franz em *The Psychological Meaning of Redemption Motifs in Fairytales* [edição brasileira: *O significado psicológico dos motivos de redenção nos contos de fada*. São Paulo: Cultrix, 1980].
4. Ato IV, cena VII, versos 168-184.
5. William Butler Yeats, "The Second Coming" [O segundo advento].
6. Para uma discussão completa de hipercelularidade, veja-se Lester B. Salans, "Cellularity of Adipose Tissue" [A celularidade do tecido adiposo], *Tretament and Management of Obesity*, pp. 17-24.
7. Paul B. Beeson e Walsh McDermott, *Texbook of Medicine*, 14ª ed., p. 1376.
8. Peter Calow, *Biological Machines*: *A Cybernetic Approach to Life*, pp. 63-64. "Nos mamíferos, há um complexo sistema regulatório,

cujo centro está no hipotálamo, que equipara de maneira quase exata a entrada e o gasto de energia. A glicose do sangue se une às células do centro hipotalâmico, o que parece inibir a "premência de alimentar-se". Como as reservas de carboidratos são muito mais usadas entre as refeições do que a proteína ou a gordura, esse *mecanismo glicostático*, como é chamado, fornece um balanço coerente da regulação diária da entrada de energia. A regulamentação de prazo mais longo, no entanto, é realizada por meio de um *mecanismo lipostático* diferente, mas relacionado com o outro. Este último, segundo se pensa, inibe a ingestão de comida sempre que a mobilização da gordura excedente do corpo produz energia suficiente e, graças à íntima associação entre o metabolismo da glicose e a liberação de ácidos gordurosos livres, ele também pode agir por meio do mecanismo glicostático. Fica claro, portanto, que o mecanismo glicostático veicula informações imediatas sobre "a condição do organismo" e o mecanismo lipostático responde à mesma pergunta em termos mediatos. Ambos os mecanismos realimentam negativamente o mesmo centro hipotalâmico que, por seu turno, realimenta positivamente a "premência de alimentar-se".

9. R. E. Nisbett, "Starvation and the Behavior of the Obese" [A inanição e o comportamento do obeso], *Treatment and Management Obesity*. p, 47.
10. L. B. Salans, "Cellularity of Adipose Tissue", *op. cit.*, p. 24.
11. "Flying Saucers: A Modern Myth" [Discos voadores: um mito moderno], CW 10, par. 655.
12. "A Review of the Complex Theory" [Uma revisão de teoria dos complexos], CW 8, par. 201.
13. *Ibid.*, par. 198.
14. *Ibid.*, par. 204.

15. *Ibid.*, par. 210,
16. De acordo com o modelo junguiano dos tipos psicológicos, há duas atitudes da personalidade (introversão e extroversão) e quatro funções básiças: sensações, pensamento, sentimento e intuição. (Cf. "Definitions", in *Psychological Types*, CW 6.) De maneira resumida, a *sensação* nos diz que algo existe; o *pensamento* nos diz o que é esse algo; o *sentimento* nos diz do seu valor para nós; e a *intuição* nos diz o que podemos fazer com ele (as possibilidades). Por razões práticas, é preciso distinguir o sentimento – como uma função racional e de juízo – da emoção, que vem de um complexo ativado.
17. *Symbols of Transformation*, CW 5, par. 457.
18. Hilde Bruch, *Eating Disorders*, p. 87.
19. Esther Harding, *Psychic Energy*, pp. 210-211.
20. Hilde Bruch, *op. cit.*, p. 127.
21. O relacionamento entre os hormônios sexuais e o metabolismo não foi estabelecido. Todavia, Beeson e McDermott, *op. cit.*, afirmam: "A relação entre a maternidade e a obesidade, e o frequente ganho de peso da menopausa, embora difíceis de documentar, sugerem um possível papel dos hormônios sexuais femininos na regulação do metabolismo da gordura" (p. 1376). Trata-se de uma possibilidade digna de nota quando se considera a perda do feminino no problema da obesidade.
22. G. Bray, *International Journal of Obesity*, 2, nº 2, 1978, p. 105.
23. Conversas com Rosales Wynne-Roberts, M. D., ajudaram a esclarecer mecanismos bioquímicos subjacentes discutidos neste capítulo.
24. Jay Tepperman, *Metabolic and Endocrine Physiology*, 3ª ed., p. 201.
25. George F. Cahill, Jr., "Obesity and the Control of Fuel Metabolism" [A obesidade e o controle do mecanismo do abastecimento]. *Treatment and Management of Obesity*, p. 9. Cahill assinala

nesse artigo que "as pessoas com excesso de peso precisam de muito mais insulina [...] A insulina é o principal controlador da célula adiposa, dizendo-lhe, quando há combustível adequado, que o pegue e o armazene [...] Em determinadas situações, particularmente na obesidade, as células adiposas precisam de mais insulina para cada um dos eventos metabólicos que controla. Além disso, outros tecidos corporais da pessoa obesa também precisam de mais insulina". Para um estudo da diminuição generalizada da ação da insulina nos tecidos do obeso, veja-se L. B. Salans, *art. cit., op. cit.*, pp. 17-24.

26. Paul E. Beeson e Walsh McDermott, *op. cit.*, 14ª ed., p. 1375.
27. Richard Mackarness, *Eat Fat and Grow Slim*, p. 43. A natureza pode armazenar energia por meio de dois diferentes tipos de compostos de carbono-hidrogênio. Um deles é a estrutura básica da gordura; o outro, a estrutura básica do carboidrato. Devido à diferença entre as estruturas químicas do carboidrato e da gordura, o carboidrato produz 4 calorias por grama, ao passo que a gordura produz 9,4 calorias por grama. Ao ser armazenado, o carboidrato requer 1,5 grama de água para cada grama de glicogênio, enquanto a gordura requer pouco aumento do fluido celular. Por conseguinte, se expandir o seu depósito de carboidrato, a célula está estabelecendo uma maneira insuficiente de armazenar energia, em especial quando a proprietária da energia tem de levá-la a todos os lugares.
28. *Ibid.*, p. 45.
29. *Ibid.*, p. 108.
30. Salans assinala, em "Cellularity of Adipose Tissue" (veja-se, acima, nota 6), que foram descobertas muitas anormalidades celulares na pessoa obesa, mas que também se provou serem essas anormalidades reversíveis com a perda de peso. A especulação,

portanto, concentra-se na possibilidade de que "o metabolismo desordenado do paciente obeso pode ser explicado, de certo modo, por uma resistência ao metabolismo da glicose na célula adiposa".
31. Richard Mackarness, *Not All in the Mind*, p. 38.
32. *Ibid.*, p. 41.
33. E. Cheraskin e W. M. Ringsdorf, Jr., *Psychodietics*, p. 31.
34. *Ibid.*, p. 73.
35. Sustentando ainda mais essa teoria, o *International Journal of Obesity*, 2, nº 2, 1978, pp. 106-107, relata que "a síndrome da obesidade hipotalâmica está bem estabelecida clínica e experimentalmente [...] a mais importante anormalidade dessa síndrome é o aumento da concentração de insulina".
36. Robert C. Atkins, *Dr. Atkins' Revolutionary Diet*, p. 61. A comutação metabólica que age durante a dieta do Dr. Atkins pode ter como base um hormônio discutido por L. Levin em *Science News Letter*, 5 de maio de 1951. Levin relatou a existência de "um novo hormônio pituitário que parece agir diretamente e não por meio das glândulas adrenais (como o faz o ACTH). Esse hormônio inicia o mecanismo corporal de mobilização da gordura, sendo a sua produção iniciada pela presença da cortisona no sangue". O Council of Foods and Nutrition [Conselho de Alimentos e de Nutrição], tratando dessa dieta, afirma que Atkins deixa implícito que quantidades ilimitadas de uma dieta cetogênica de baixo nível de carboidrato pode ser ingerida sem aumento de peso, mas não há evidências cientificamente aceitáveis que garantam essa alegação. (Council of Food and Nutrition, Yang e Von Itallie, 1976.)
37. Selye, *Stress Without Distress*, p. 25.
38. Flanders Dunbar, *Mind and Body*, p. 264.

39. Richard Mackarness, *Not All in the Mind*, p. 108.
40. A. H. Crisp, "Some Aspects of the Ralationship between Body Weight and Sexual Behavior with Particular Reference to Massive Obesity and Anorexia Nervosa", *International Journal of Obesity*, 2, nº 1, 1978, p. 19.
41. À luz do conhecimento atual, a adrenina deve representar uma mistura de hormônios da medula e do córtex da glândula adrenal.
42. Walter Cannon, *Bodily Changes in Pain, Hunger, Fear and Rage*, p. 63.
43. *Ibid.*, p. 63-64.
44. *Ibid.*, p. 351.
45. *Ibid.*, pp. 194-205. Somente quando o açúcar existente no sangue cai abaixo do nível fisiológico normal há uma reação da adrenalina.
46. *Ibid.*, p. 247.
47. Russel A. Lockhart, "Cancer in Myth and Dream", 1º de janeiro de 1977, Spring Publications, pp. 1-2.
48. Retirado de uma carta de C. G. Jung ao seu primo, Rudolph Jung, 11 de maio de 1956. Em *C. G. Jung: Letters*, 2, p. 297.
49. Flanders Dunbar, *Emotions and Bodily Changes*, pp. 260 e 232.
50. Ethan A. H. Sims, "Studies in Human Hyperphagia" [Estudos da hiperfagia humana], *Treatment and Management of Obesity*, p. 35.
51. *Ibid.*, p. 42
52. J. Tepperman, *op. cit.*, p. 219.
53. Richard Nisbett, *art. cit.*, *Treatment and Management of Obesity*, p. 54.
54. J. Tepperman, *op. cit.*, p. 215.
55. "Investigations with Galvanometer and Pneumograph", CW 2, par. 1062.
56. *Ibid.*, p. 1067.
57. *Ibid.*
58. *Ibid.*, p. 1080.
59. *Ibid.*, p. 1352.

60. Helen e Katherine não estavam sujeitas a enxaquecas, mas o aparecimento e o desaparecimento misterioso da inchação em condições de estresse têm sido bem documentados. "Antes da manifestação de uma enxaqueca, pode ocorrer uma acumulação generalizada de fluido como parte de um distúrbio não específico do fluído e dos eletrólitos observado em muitas pessoas que apresentam ou não a síndrome da enxaqueca em períodos de estresse. Há evidências de uma anormalidade geral do comportamento vascular em muitos sujeitos com enxaqueca". Beeson and McDermott, *Textbook of Medicine*, p. 617.
61. "On the Nature of the Psyche", CW 8, par. 366.
62. *Ibid.*
63. *Ibid.*, par. 368.
64. *Ibid.*, par. 369.
65. *Ibid.*, par. 375.
66. *Ibid.*, par. 377.
67. *Ibid.*, par. 379.
68. *Ibid.*, par. 380.
69. Cf. nota 60 acima.
70. "On the Nature of the Psyche", CW 8, par. 407.
71. *Ibid.*, par. 414.
72. *Ibid.*, par. 417.
73. *Ibid.*, par. 418, 420.
74. *Shadow and Evil in Fairytales*, pp. 215-16.
75. Hilde Bruch, *Eating Disorders*, p. 102.
76. "Association, Dream, and Hysterical Symptom", CW 2, par. 833.
77. *Ibid.*, par. 861.
78. C. G. Jung, "Psychological Aspects of the Mother Archetype", CW 9, I, par. 186.
79. *Ibid.*, par. 184.

80. "Adonais".
81. Hilde Bruch, *The Golden Cage*, p. 34.
82. Keats, "Ode to a Nightingale".
83. *Apuleius' Golden Ass*, p. VIII-10.
84. Com referência ao *Rex marinus*, Jung escreve: "Na realidade, ele é a substância transformadora secreta, que caiu do lugar mais alto nas mais sombrias profundezas da matéria, onde espera a sua libertação. Mas ninguém vai mergulhar nessas profundezas para, por meio da sua própria transformação e pelo tormento do fogo, resgatar esse rei. As pessoas não podem ouvir a voz do rei e pensam que é o rumor caótico da destruição. O mar (*mare nostrum*) dos alquimistas é a sua própria treva, o inconsciente [...] O fundo negro da alma contém não apenas o mal como também um rei necessitado e capaz de redenção" (*Alchemical Studies*, CW 13, par. 183).
85. Esther Harding, *Woman's Mysteries*, p. 266.
86. *Apuleius' Golden Ass*, p. IV-6.
87. Discutido numa conversa com o doutor A. Ziegler, de Zurique.
88. Cf. C. G. Jung, "Flying Saucers: A Modern Myth", CW 10, par. 780: "Hoje sabemos da existência de um fator que serve de mediador à aparente incomensurabilidade entre corpo e psique, fator esse que dá à matéria uma espécie de faculdade 'psíquica' e, à psique, uma espécie de 'materialidade', por meio das quais uma pode trabalhar na outra. O fato de o corpo poder trabalhar com a psique parece um truísmo, mas, em termos estritos, sabemos apenas que todo defeito ou enfermidade física se exprime psiquicamente".
89. "Rex and Regina", CW 14, pars. 357s.
90. *Ibid.*, par. 358.
91. C. G. Jung, *Symbols of Transformation*, CW 5, par. 438.

92. Albert Stunkard, "New Treatments of Obesity" [Novos tratamentos da obesidade], *Treatment and Management of Obesity*, p. 104. Estima-se que, de maneira geral, não mais de 25% das pessoas obesas perdem 20 quilos e não mais de 5% perdem 40.
93. Conversando com uma colega, eu soube que Hannah Green, autora de *I Never Promised You a Rose Garden* [Eu nunca lhe prometi um mar de rosas], sofria de obesidade, problema que jamais mencionou no seu livro; do mesmo modo, não foi retratada como obesa no filme. Isso parece um marcante exemplo da moderna disposição para revelar a agonia da alma, mas, ao mesmo tempo, ocultar a "vergonhosa" verdade do corpo obeso. Uma reticência semelhante se manifestou no Experimento de Associação.
94. James Hillman descreve os dois lados desse arquétipo em "Senex and Puer: An Aspect of the Historical and Psychological Present", *Eranos-Jahrbuch*, XXXVI, 1967.
95. M.-L. von Franz, *Apuleius' Golden Ass*, pp. IV-5.
96. Diagrama elaborado nos termos do diagrama do arquétipo do quatérnio do casamento, feito por Jung, em "The Psychology of Transference", CW 16, par. 422.
97. Maximilian Rudwin, *The Devil in Legend and Literature*, pp. 234ss.
98. John Milton, *Paradise Lost*, IV, verso 299.
99. Hilde Bruch, *Eating Disorders*, p. 337.
100. Erich Neumann, *The Child*, pp. 90-91.
101. *Ibid.*, resumido das pp. 105-109.
102. Cf. M.-L. von Franz, *Redemption Motifs in Fairytales*, pp. 54-55, acerca da projeção do *Self* na morte, o que pode ser um fator psicológico do suicídio.
103. *The Feminine in Jungian Psychology and in Christian Theology*, pp. 85-86.
104. CW 18, par. 627.
105. *Ibid.*, par. 632.

106. *Ibid.*, par. 635.
107. Mary Daly, *Beyond God the Father*, p. 43.
108. "The Psychological Aspects of the Kore", CW 9, I, par. 355.
109. Veja-se acima, nota 89.
110. Para uma discussão completa do Dioniso andrógino, veja-se James Hillman, "First Adam, then Eve", *Eranos-Jahrbuch*, XXXVIII, 1969.
111. C. G. Jung e C. Kerényi, *Introduction to a Science of Mythology*, p. 117.
112. *Ibid.*, par. 144.
113. *Ibid.*, par. 148.
114. Retirado de uma carta ao pastor Walter Bernet, de 13 de junho de 1955, in *C. G. Jung: Letters*, 2, pp. 258-259.
115. "The Psychology of the Child Archetype", CW 9, I, par. 291.
116. Jung e Kerényi, *Introduction to a Science of Mythology*, p. 101.
117. Linda Fierz-David discutiu o significado psicológico desses afrescos em *Psychologische Betrachtungen zu der Freskenfolge der Villa dei Misteri in Pompeji* [Considerações psicológicas acerca da sequência de afrescos da Vila dos Mistérios em Pompeia]. Por infelicidade, ainda não há edição em inglês do livro.
118. Para uma discussão mais completa do mito, veja-se C. Kerényi, *Dionysus*.
119. Os afrescos estão reproduzidos em C. G. Jung, *Man and His Symbols*, pp. 142-143.
120. O perigo da inflação ou identificação com um estado de espírito é tratado nos Mistérios Eleusinos por meio de Baubo, cujo senso de humor dissoluto (expor as nádegas) quebra o encanto do pesar de Deméter. O grosseiramente humano pode liberar energia vital numa mulher.
121. Esther Harding, *The Parental Image*, pp. 34-35.
122. "The Tavistock Lectures", CW 18, par. 317.

123. Para uma discussão completa do sentido de "virgem", veja-se Esther Harding, *Woman's Mysteries*, pp. 146-149.
124. Eliot, *Four Quartets*, "Little Gidding".
125. CW 10, pars. 261, 269, 271.
126. *Ibid.*, par. 273.
127. *Ibid.*, par. 275.
128. *Toward a New Psychology of Women*, p. 119.
129. *Symbols of Transformation*, CW 5, par. 576.
130. *Answer to Job*, p. 70.
131. *Ibid.*, p. 78.
132. *Ibid.*, pp. 91-92.
133. Discutido numa carta a Dorothee Hoch, 3 de julho de 1953, *Letters*, 2, pp. 76-78.
134. C. G. Jung, *Answer to Job*, p. 90: "Por que esse resultado inevitável da psicologia cristã deveria representar a redenção é algo difícil de perceber, exceto quanto ao fato de o reconhecimento consciente de opostos, por mais doloroso que possa ser no momento, realmente traz consigo um sentido definido de libertação [...] Trata-se, de um lado, de uma redenção do estado agônico de inconsciência sombria e impotente e, do outro, de uma crescente consciência da oposição de Deus, da qual o homem pode participar se não fugir ao ferimento da espada de separação que é Cristo. Somente no conflito mais extremo e mais ameaçador o cristão experimenta a libertação na divindade, o que sempre ocorre se ele não fraquejar, mas aceitar a carga de ser marcado por Deus. Somente assim pode a *imago Dei* realizar-se no cristão e só desse modo Deus pode tornar-se homem".
135. *Ibid.*, p. 111.
136. *The Feminine*, p. 313.

GLOSSÁRIO DE TERMOS JUNGUIANOS

Anima (em latim, "alma"). O lado inconsciente feminino da personalidade do homem. É personificada em sonhos por imagens de mulheres que vão da prostituta e mulher fatal a guia espiritual (Sabedoria). Ela é o princípio de Eros; por isso, o desenvolvimento da anima do homem reflete-se no modo como ele se relaciona com as mulheres. A identificação com a anima pode aparecer como melancolia, efeminação e excesso de sensibilidade. Jung chama a anima de *o arquétipo da própria vida*.

Animus (em latim, "espírito"). O lado inconsciente masculino da personalidade da mulher. Ele personifica o princípio do Logos. A identificação com o *animus* pode levar a mulher a tornar-se rígida, dogmática e argumentativa. De maneira mais positiva, ele é o homem interior que age como uma ponte entre o ego da mulher e os seus próprios recursos criativos no inconsciente.

Arquétipos. Não podem ser descritos, mas seus efeitos aparecem na consciência como as imagens e ideias arquetípicas. São padrões ou motivos universais que vêm do inconsciente coletivo e formam o conteúdo básico das religiões, mitologias, lendas e contos de fada. Emergem nos indivíduos através de sonhos e visões.

Associação. Um fluxo espontâneo de pensamentos e imagens interligados em torno de uma ideia específica, estabelecida por conexões inconscientes.

Complexo. Um grupo de ideias ou imagens emocionalmente carregadas. No "centro" de um complexo encontra-se um arquétipo ou imagem arquetípica.

Constelar. Sempre que ocorre uma forte reação emocional com relação a uma pessoa ou situação, um complexo foi constelado (ativado).

Ego. O complexo central no campo da consciência. Um ego forte pode relacionar-se objetivamente com conteúdos ativados do inconsciente (ou seja, com outros complexos), em lugar de identificar-se com eles, o que aparece como um estado de possessão.

Função transcendente. O "terceiro" reconciliador que emerge do inconsciente (na forma de um símbolo ou de uma nova atitude) depois que os opostos conflitantes tenham sido conscientemente diferenciados e a tensão entre eles retida.

Individuação. A realização consciente da realidade psicológica ímpar de cada pessoa, incluindo tanto os poderes como as limitações. Leva à experiência do *Self* como centro regulador da psique.

Inflação. Um estado no qual a pessoa tem um sentimento de identidade irrealisticamente alto ou baixo (inflação negativa). Indica a regressão da consciência para o inconsciente, o que ocorre tipicamente quando o ego adquire por si mesmo conteúdos inconscientes em demasia e perde a faculdade de discriminação.

Intuição. Uma das quatro funções psíquicas. É a função irracional, que nos conta as possibilidades imanentes no presente. Ao contrário da sensação (a função que percebe a realidade imediata através dos sentidos físicos), a intuição percebe as coisas por meio do inconsciente; por exemplo, lampejos de *insight* de origem desconhecida.

Participation mystique. Um termo derivado do antropólogo Lévy-Bruhl, que denota uma ligação primitiva, psicológica, com objetos, ou entre pessoas, resultando num forte vínculo inconsciente.

Persona (em latim, "máscara do ator"). O papel social de uma pessoa, derivado das expectativas da sociedade e do treinamento dos primeiros anos. Um ego forte se relaciona com o mundo exterior através de uma *persona* flexível; a identificação com uma *persona* específica (médico, erudito, artista) inibe o desenvolvimento psicológico.

Projeção. O processo pelo qual uma qualidade ou característica inconsciente da própria pessoa é percebida num objeto ou pessoa exteriores, diante dos quais essa pessoa reage como se estivesse na presença da qualidade ou característica em questão. A projeção da *anima* ou do *animus* numa mulher real e num homem real é vivenciada como o ato de se apaixonar. Expectativas frustradas indicam a necessidade de retirar projeções, de maneira que a pessoa possa se relacionar com a realidade de outras pessoas.

Puella aeterna (em latim, "menina eterna"). Indica determinado tipo de mulher que permanece por tempo excessivo na psicologia da adolescência, geralmente associada a uma forte vinculação inconsciente com o pai. Sua contraparte masculina é o *puer aeternus*, um "jovem eterno" com uma vinculação correspondente com a mãe.

Self. O arquétipo da totalidade e o centro regulador da personalidade. É vivenciado como um poder transpessoal que transcende o ego; por exemplo, Deus.

Sentimento. Uma das quatro funções psíquicas. É uma função racional, que avalia o valor dos relacionamentos e das situações. O sentimento deve ser distinguido da emoção, que é decorrência de um complexo ativado.

Símbolo. A melhor expressão possível para algo essencialmente desconhecido. O pensamento simbólico é não linear, orientado pelo lado direito do cérebro; é complementar ao pensamento lógico e linear do lado esquerdo do cérebro.

Sombra. Uma parte inconsciente da personalidade, caracterizada por traços e atitudes, negativos e positivos, que o ego consciente tende a ignorar ou a rejeitar. É personificada em sonhos por pessoas do mesmo sexo do sonhador. Assimilar conscientemente a própria sombra resulta quase sempre num aumento de energia.

Transferência e contratransferência. Casos particulares de projeção, usados comumente para descrever os vínculos emocionais inconscientes que surgem entre duas pessoas no relacionamento analítico ou terapêutico.

Uroboros. A cobra ou dragão mitológico que devora a própria cauda. É um símbolo tanto para a individuação, como processo circular e autoabrangente, como para a autoabsorção narcisista.

Bibliografia

Atkins, Robert, M. D., *Dr. Atkins' Diet Revolution* [A dieta revolucionária do Dr. Atkins], Nova York, Bantam Books, 1977.

Bray, George, M. D., "Definition, Measurement and Classification of the Syndromes of Obesity" [Definição, avaliação e classificação das síndromes da obesidade], *International Journal of Obesity*, 2, nº 2, 1978, org.: Howard e Bray, Londres, Newton Publ. Ltd., 1978.

Bruch, Hilde, M, D., *The Golden Cage: The Enigma of Anorexia Nervosa* [A gaiola dourada: o enigma da anorexia nervosa], Londres, Open Books, Publ. Ltd., 1978.

——————, *Eating Disorders: Obesity, Anorexia Nervosa, and the Person Within* [Desordens alimentares: obesidade, anorexia nervosa e a pessoa interior], Nova York, Basic Books Ltd., 1973.

Calow, Peter, *Biological Machines: A Cybernetic Approach to Life* [Máquinas biológicas: uma abordagem cibernética da vida], Londres, Edward Arnold Ltd., 1976.

Cannon, Walter, M. D., *Bodily Changes in Pain, Hunger, Fear, and Rage* [Mudanças corporais na dor, na fome, no medo e na ira], Boston, Charles T. Branford Co., 1953.

Cheraskin, E., M. D. e Ringsdorf, W. M. Jr., M. D., *Psychodietetics* [Psicodietética], Nova York, Bantam Books, 1974.

C. G. Jung Speaking [C. G. Jung fala], org. por William McGuire e R. F. C. Hull, Princeton U. P. (Bollingen Series XCVII), 1977 [edição brasileira: *C. G. Jung: entrevistas e encontros*. São Paulo: Cultrix, 1977].

Crisp, A. H., "Some Aspects of the Relationship between Body Weight and Sexual Behavior with Particular Reference to Massive Obesity and Anorexia Nervosa" [Alguns aspectos da relação entre peso corporal e comportamento sexual, com especial referência à obesidade e à anorexia nervosa], *International Journal of Obesity*, 2, nº 1, 1978.

Daly, Mary, *Beyond God the Father: Toward a New Philosophy of Women's Liberation* [Para além de Deus Pai: para uma nova filosofia da libertação das mulheres], Boston, Beacon Press, 1977.

Dunbar, Flanders, M. D., *Emotions and Bodily Changes* [Emoções e mudanças corporais], Nova York, Columbia University Press, 1954.

_____, *Mind and Body: Psychosomatic Mediun* [Mente e corpo: meio psicossomático], Nova York, Random House, 1947.

Eliot, T. S., *Four Quartets* [Quatro quartetos], Londres, Faber & Faber, 1952.

Fierz-David, Linda, *Psychologische Betrachtungen zu der Freskenfolge der Villa dei Misteri in Pompeji* [Considerações psicológicas acerca da sequência de afrescos da vila dos mistérios em pompeia], Zurique, 1957.

Graham, Martha, *The Notebooks of Martha Graham* [Os diários de Martha Graham], Nova York, Harcourt Brace, Jovanovich Inc., 1973.

Harding, Esther, *Psychic Energy: Its Source and Goal* [A energia psíquica: origem e destino], Washington, D. C., publicado para a Fundação Bollingen por Pantheon Books, Inc., 1947.

_____, *The Parental Image: Its Injury and Reconstruction* [A imagem parental: danificação e reconstrução], publicado por G. P. Putnam's Sons para a Fundação C. G. Jung de Psicologia Analítica, 1965.

_____, *Woman's Mysteries* [Os mistérios da mulher], Londres, Longmans, Green & Co., 1935.

Hillman, James, "Senex and Puer: An Aspect of the Historical and Psychological Present" [Senex e puer: um aspecto do presente histórico e psicológico], *Eranos-Jahrbuch*, XXXVI, 1967.

_____, "First Adam, then Eve" [Primeiro Adão, depois Eu], *Eranos-Jahrbuch*, XXXVIII, 1969.

Jung, C. G., *The Collected Works* [Obras completas] (Bollingen Series XX), 20 vols., trad. por R. F. C. Hull (org.), H. Read, M. Fordham, G. Adler e William McGuire, Princeton, Princeton U. P., 1953-1979.

_____, *Answer to Job* [Resposta a Jó], trad. por R. F. C. Hull, Londres, Routledge & Kegan Paul, 1964.

Jung, C. G. *Man and His Symbols* [O homem e seus símbolos], Londres, Aldus Books, 1964.

_____, *Letters* [Cartas] (Bollingen Series XCV), 2 vols., org. por G. Adler, Princeton, Princeton University Press, 1963-1975.

_____, e Kerényi, Carl, *Introduction to a Science of Mythology: The Myth of the Divine Child and the Mysteries of Eleusis* [Introdução a uma ciência da mitologia: o mito da criança divina e os mistérios de Elêusis]. Trad. por R. F. C. Hull, Londres, Routledge & Kegan Paul, 1969.

Kerényi, Carl, *Dionysos, Archetypal Image of Indestructible Life* [Dioniso, imagem arquetípica da vida indestrutível] (Bollingen Series LXV-2). Trad. por Ralph Manheim, Princeton, Princeton U. P., 1976.

_____, *The Gods of the Greeks* [Os deuses dos gregos]. Trad. por Norman Cameron, Londres, Thames & Hudson, 1976.

Kittridge, G. L., org., *Shakespeare's Hamlet* [O Hamlet de Shakespeare], Londres, Ginn and Co., s/d.

Lockhart, Russell A., "Cancer in Myth and Dream" [O câncer no mito e no sonho], Zurich, Spring Publications, 1977.

Mackarness, Richard, M. D., *Eat Fat and Grow Slim* [Coma gordura e fique magro], Glasgow, William Collins Sons & Co., Ltd., 1976.

_____, *Not All in the Mind* [Nem tudo está na mente], Londres, Pan Books, 1977.

Miller, Jean Baker. *Toward a New Psychology of Women* [Para uma nova psicologia das mulheres], Aylesbury, Inglaterra, Penguin Books, 1976.

Neumann, Erich, *The Child* [A criança], Nova York, publicado por G. P. Putnam's Sons para a Fundação C. G. Jung de Psicologia Analítica, 1973 [edição brasileira: *A criança*. São Paulo: Cultrix, 1980].

Penguin Book of English Verse [Compêndio Penguin de poesia inglesa], org. por John Hayward, Londres, Penguin Books, 1960.

Rudwin, Maximilian, *The Devil in Legend and Literature* [O diabo na lenda e na literatura], La Salle, Illinois, The Open Court Publ. Co., 1931.

Selye, Hans, M. D., *Stress Without Distress* [Estresse sem angústia], Scarborough, The New American Library of Canada Ltd., 1975.

Tepperman, Jay, M. D., *Metabolic and Endocrine Physiology* [Fisiologia metabólica e endócrina], 3ª ed., Chicago, Year Book Medical Publishers Inc., 1974.

Textbook of Medicine [Manual de medicina], 14ª ed., org. por Paul B. Beeson e Walsh McDermott, Filadélfia, Saunders Publications, 1975.

Treatment and Management of Obesity [O tratamento e o controle da obesidade], org. por Bray, M. D. e Bethune, M. D., Hagerstown, Maryland, Harper & Row, Departamento Médico, 1974.

Ulanov, Ann Belfold, *The Feminine in Jungian Psychology and in Christian Theology* [O feminino na psicologia junguiana e na teologia cristã], Evanston, Northwestern U. P., 1971.

Von Franz, Marie-Louise, *Apuleius' Golden Ass* [O asno de ouro de Apuleio], Zurique, Spring Publications, 1970.

Von Franz, Marie-Louise, *The Psychological Meaning of Redemption Motifs in Fairytales* [edição brasileira: O significado psicológico dos motivos em contos de fadas. São Paulo: Cultrix, 1980].

_____, *Shadow and Evil in Fairytales* [A sombra e o mal nos contos de fadas], Zurique, Spring Publications, 1974.

Impresso por :

gráfica e editora
Tel.:11 2769-9056